D1081941

Les cahiers noirs de Lynda Lemay

Du même auteur

BIOGRAPHIES - RÉCITS

1997 Yvon Deschamps, un aventurier fragile. Éditions Québec Amérique.
1998 Languirand, biographie. Éditions Libre Expression.
1999 L'aventure unique d'un réseau de bâtisseurs. Éditions Transcontinental.
2002 Les cahiers noirs de Lynda Lemay. Éditions Contreforts.

ESSAIS SUR LES VALEURS ET LES TENDANCES SOCIALES

1982 Analyse de ses valeurs personnelles. Éditions Québec Amérique.
1985 Intervenir avec cohérence. Éditions Québec Amérique.
1985 Les chemins de l'autodéveloppement. En collaboration. Éditions Québec Amérique.
1985 Pédagogie ouverte et autodéveloppement. Éditions NHP.
1990 L'Effet caméléon. Éditions Québec Amérique.
1991 Des idées d'avenir pour un monde qui vacille. Éditions Québec Amérique.
1995 Réussir l'avenir. Éditions NHP. Version Québec.
1995 Réussir l'avenir. Éditions NHP. Version Nouveau-Brunswick.
1996 Demain, une caricature d'aujourd'hui. Éditions NHP.
2002 Pour que les valeurs ne soient pas du vent. Éditions Contreforts.

ESSAIS SUR LA PÉDAGOGIE OUVERTE ET LE PROJET ÉDUCATIF

1976 Vers une pratique de la pédagogie ouverte. Éditions NHP.
1991 Éducation aux valeurs et projet éducatif. Éditions Québec Amérique.
Tome 1 : L'Approche. Tome 2 : Démarches et outils.
1992 Une pédagogie ouverte et interactive. Éditions Québec Amérique.
Tome 1 : L'Approche. Tome 2 : Démarches et outils.
1999 Pour des pratiques pédagogiques revitalisées. Éditions MultiMondes.
Collectif sous la direction de Luce Brossard.

OUVRAGES COMPLÉMENTAIRES DE CETTE CATÉGORIE :

1971 Techniques sociométriques et pratique pédagogique. Éditions NHP
1977 Plan d'études et pédagogie ouverte. En collaboration. Éditions NHP.
1979 Le projet éducatif. Éditions NHP.
1980 Le projet éducatif et son contexte. Éditions NHP
1980 Grille d'analyse réflexive pour cheminer en pédagogie ouverte.
En collaboration. Éditions NHP.
1981 Évaluation et pédagogie ouverte. En collaboration. Éditions NHP.
1982 Activités ouvertes d'apprentissage. En collaboration. Éditions NHP.
1984 Des pratiques évaluatives. En collaboration. Éditions NHP.
1984 La pédagogie ouverte en question? Débats autour de la philosophie
de Claude Paquette UQAR. En collaboration. Éditions Québec Amérique.
1986 Vers une pratique de la supervision interactionnelle. Éditions NHP. Réimpression 1998.
1987 Implantation des programmes. Éditions Interaction.
1989 Outils de gestion pour la direction générale. Éditions Interaction.
1989 Outils de gestion pour la direction des services éducatifs. Éditions Interaction.

Pour plus de détails, consulter le site Internet de l'auteur : www.claudepaquette.qc.ca

Claude Paquette

Les cahiers noirs de Lynda Lemay

Éditions Contreforts
Case postale 590, Victoriaville (Québec) G6P 6V7
Télécopieur : 819-382-2971
Adresse électronique : editions@claudepaquette.qc.ca

Dépôt légal : 4e trimestre 2002
Bibliothèque nationale du Québec
Bibliothèque nationale du Canada
Imprimé au Canada

Conception graphique : Serge Tardif
Photographies : Nathalie St-Pierre
Révision linguistique : Diane Martin

Table des matières

1. Le projet 11
2. D'une rencontre à l'autre 17
3. Le 26 juillet à Carcassonne 25
4. D'où vient une chanson? 31
5. La chanson fétiche 37
6. Les chansons qui bouleversent 47
7. Les chansons tragiques 55
8. La quête de l'amour 63
9. Les problèmes et les dilemmes d'aujourd'hui 69
10. Le temps qui passe 79
11. La légèreté 89
12. Les fans 95
13. Des pièces éparses de la mosaïque 123
14. Les valeurs naturelles de Lynda Lemay 135
15. L'avenir 143

Épilogue 149
Remerciements 155
Notes et références 157

Annexes:

Parcours professionnel de Lynda Lemay 171
Prix et distinctions 177
Discographie de Lynda Lemay 183
Partitions musicales 187

On a toujours le même regard
Celui de l'enfant que l'on est
Et qu'on essaie de retrouver
Au fond d'un corps qui agonise
Au fond du feu que l'on attise

Lynda Lemay
La veilleuse

«CHANSONS»

1 Le projet

Je ressentais profondément que je devais écrire ce livre, alors je l'ai fait.

C'est en novembre 2000 que j'ai décidé de mettre en œuvre ce projet. Au cours de ce texte, je reviendrai sûrement sur quelques-uns de mes motifs et sur quelques-unes de mes intentions.

Soyons clair dès maintenant. Cet ouvrage n'est pas une biographie de Lynda Lemay. Selon moi, on n'écrit pas la biographie d'une personne vivante de 36 ans. Évidemment, je parlerai de la carrière de Lynda, de ses émotions, de ses sentiments et de ses valeurs. Mais aussi et surtout, je m'attarderai à saisir ce qui fait qu'elle interpelle chacun dans ce qu'il a de plus profond, c'est-à-dire les rêves, les déceptions, les déchirures, les joies, les passions, les peines, les craintes et les angoisses.

Ce livre s'approche plutôt de l'autographie[1], qu'on ne doit pas confondre avec l'autobiographie. Celle-ci est une écriture du moi qui nécessite une reconstitution des événements et des souvenirs. Essentiellement, c'est un travail de mémoire. L'autographie n'a pas cette exigence puisqu'il s'agit de parler de soi à travers sa propre expérience ou à travers celle des autres.

Un exemple. Lynda Lemay a écrit le texte *J'ai battu ma fille.* À l'écoute, on peut croire à un fait autobiographique alors qu'il n'en est rien. C'est une amie qui lui a raconté cet événement, en beaucoup moins grave d'ailleurs. Lynda aurait pu s'en inspirer pour écrire « Elle a battu sa fille ». Mais non. D'une manière informelle, elle se pose plutôt une série de questions : Comment est-ce que je réagirais si je faisais ce geste contre ma fille ? Quelles seraient mes émotions ? Quels seraient mes sentiments ? La culpabilité m'envahirait-elle ? Donc son écriture est plus autographique qu'autobiographique. Pour quelques textes, c'est tout le contraire puisqu'ils sont carrément autobiographiques. Je le mentionnerai quand cela se présentera.

L'écrivain Jacques Chessex exprime son désir d'aborder l'autographie : « J'ai envie d'une chronique ininterrompue de moi-même bien plus que de la fiction ou du journal. » Dans ses cahiers noirs, Lynda tient une telle chronique inspirée par les événements qu'elle vit, par les rencontres qu'elle fait, par les flashs qui lui viennent de l'expérience des autres et par certains grands thèmes de la vie. Résonance et consonance sont les mots à retenir quand on parle d'autographie. L'écriture de Lynda est donc une écriture de soi, celle-ci étant nécessairement personnelle.

Les cahiers noirs de Lynda Lemay est un texte à plusieurs voix. Celle de Lynda bien évidemment, mais aussi la mienne et celles des centaines de témoigneurs volontaires de 14 à 92 ans, presque uniquement des femmes au Québec, mais autant d'hommes que de femmes en Europe. Ici, je me fais le chroniqueur de tous ces chroniqueurs tout en faisant diverses analyses plus personnelles sur les valeurs qui inspirent la créatrice et la femme. Ce récit laisse donc place aussi à ma propre subjectivité et à ma propre expérience.

Certaines chansons et certaines facettes de cette artiste me touchent particulièrement, je le mentionnerai. Cet ouvrage est donc une autographie composée de plusieurs écritures de soi.

L'œuvre de Lynda Lemay est quantitativement importante. Ses cahiers noirs contiennent certainement plus de cinq cents textes écrits depuis son adolescence. Elle y rédige une longue chronique de la vie, tout simplement pour se comprendre et pour comprendre l'autre. Elle observe sa vie et la vie. Elle se questionne et elle nous questionne. Elle livre ses incertitudes, ses inquiétudes, ses rêves, ses joies, ses peines et ses petits bonheurs. Elle s'intéresse au quotidien tout en étant très sensible aux grands enjeux humains et sociaux. Elle n'est pas la figure emblématique d'une cause. Elle dénonce rarement. Elle ne milite pas. « Je fais juste vivre », me dira-t-elle tout en ajoutant qu'elle se sent proche de tout.

Dans son œuvre, Lynda plaide pour la simplicité et la transparence tout en sachant par expérience que la vie est quelquefois désarmante, habituellement compliquée et toujours complexe. Elle s'intéresse à la vie, qui est faite d'émotions, de sentiments et de valeurs souvent contradictoires. « Il vaut mieux passer du coq à l'âme que de rester silencieux », dit-elle dans une de ses chansons pour expliquer sa passion d'écrire et sa passion de se produire sur scène.

Œuvre, un mot qui en choque certains lorsqu'il est utilisé à propos des chansons de Lynda Lemay. Pour moi, l'ensemble du travail de création de cette artiste est une œuvre parce qu'il répond aux caractéristiques suivantes : originalité, constance, continuité et durée. Même s'ils possèdent ces quatre caractéristiques, cela ne veut pas dire que tous les textes de Lynda Lemay sont d'une égale valeur. Je considère que quelques chansons sont bien minces, que la majorité représente bien l'univers lemayien, mais aussi que quelques chansons sont des chefs-d'œuvre et que probablement, dans sa production actuelle, deux ou trois deviendront des classiques.

Mais ici, je tiens à une précision. Dans ce livre, je n'essaierai pas de convaincre du contraire celles et ceux qui pensent, croient ou affirment que Lynda Lemay ne produit pas une œuvre. Chacun a droit à son jugement esthétique sur la valeur d'une création. En débattre me détournerait du projet d'écriture que je veux réaliser. Et je ne donne pas non plus la parole à celles et ceux qui disqualifient cette créatrice sans jamais avoir véritablement écouté quelques chansons. Cette situation existe pour tous les artistes et Lynda Lemay n'en est pas épargnée.

À plusieurs, certaines comparaisons paraissent audacieuses. Ce n'est pas Lynda Lemay qui se compare aux plus grands de la chanson francophone. Des journalistes, des critiques, des écrivains et des fans affirment qu'elle est de la lignée des Brel, Ferré, Brassens, Leclerc... « Elle est un mélange de Brassens, version féminine, et de Barbara, en moins torturés », dira la journaliste Florence Saugues.

« Inclassable, Lynda Lemay ne convient vraiment à aucune case précise. Il faudrait lui inventer un prix, celui du phénomène original. » Je suis d'accord avec cette idée exprimée par le journaliste Louis-Bernard Robitaille[2]. Je n'aurais pas fait ce livre sans cette conviction. Pour sa part, Sacha Reins abonde dans le même sens: « Plus artistiquement démodée qu'elle, ce n'est pas imaginable. Sauf à imaginer une mutante parée des gènes de Juliette Gréco et de Marie-Josée Neuville. Pourtant, cette jeune femme de 36 ans qui enregistre des albums ne passant ni à la radio ni à la télévision est devenue un phénomène commercial. [...] Dans le monde de la chanson, elle semble venir d'une autre planète, à l'écart des modes et tendances, ignorant tout du rock, du rap ou du jazz[3] ». « Elle est phénoménale », clame, dans son exubérance habituelle, l'écrivain Alexandre Jardin.

À la suite de la prestation de Lynda Lemay au gala des Victoires de la musique du 9 mars 2002, le chroniqueur et écrivain Pierre Bourgault affirme qu'elle y a été bouleversante et qu'elle y a atteint un sommet.

« Lynda Lemay m'a d'abord agacé, au début de sa carrière, pour me laisser ensuite plutôt indifférent. Eh bien, samedi, j'ai viré mon capot de bord. Elle m'a tout simplement jeté par terre avec une nouvelle chanson : *La centenaire.* Une chanson sur la vieillesse et la mort criante de vérité et absolument bouleversante. [...] Et puis, il en faut, de l'audace, pour se présenter dans un gala plutôt léger avec une chanson aussi grave que personne, d'ailleurs ne connaissait. C'est sans aucune difficulté qu'elle a réussi le tour de force. Un très grand moment[4]. »

Si j'méritais l'enfer
Alors c'est réussi
Car je suis centenaire
Et j'suis encore en vie [...]
C'est que je suis avide
Mais qu'y a plus rien à mordre
C'est que mon passé déborde
Et qu'mon avenir est vide[5].

2 D'une rencontre à l'autre

En 1994, à la parution de l'album Y, j'ai été particulièrement frappé par deux de ses chansons qui jouaient assez souvent à la radio : *Le plus fort c'est mon père* et *Jamais fidèle.* Écrites respectivement en 1992 et en 1991, donc par une jeune femme au début de la vingtaine, ces deux chansons s'opposent sur le plan des valeurs.

Avec ma compagne, à l'automne 1994, c'est dans une petite salle au-dessus d'un restaurant à Victoriaville que j'ai assisté à mon premier spectacle de Lynda Lemay. Nous étions environ soixante spectateurs entassés dans cette salle en forme de L. Accompagnée à la guitare par Yves Savard, elle a ouvert le spectacle avec *Jamais fidèle* tout en annonçant qu'elle ne pourrait plus l'écrire maintenant puisqu'elle avait trouvé le grand amour. Je me souviens d'un public pratiquement soulagé de ce retournement de situation. À l'intermission, plusieurs discutaient de ce changement dans la vie de Lynda.

Au cours du spectacle, j'ai pris conscience qu'elle était une femme de scène, une femme heureuse quand elle livre ses chansons. La force de son interprétation, la chaleur de sa présence et surtout l'attention qu'elle prête à l'assistance font que cette artiste a du génie sur scène. Participer à un spectacle de Lynda est une expérience assez différente de l'audition d'un disque compact. C'est un contact très intime puisqu'il s'établit un dialogue entre ses textes et chacun des spectateurs.

Novembre 2000. Je rédige un projet comprenant la publication d'un essai sur les valeurs[6] ainsi que trois livres sur des créateurs que je considère comme des phénomènes dans leur milieu respectif: Lynda Lemay est l'une de ces personnes.

Décembre 2000. Au cours d'une conversation téléphonique, elle me donne son accord tout en me précisant qu'elle ne pourra me rencontrer avant le mois de juin car elle sera occupée à effectuer une tournée européenne.

Hiver 2001. Je fouille les archives. J'écoute tous ses disques. Je prends contact avec des fans. Je procède à une première exploration des différents thèmes inscrits dans son œuvre.

Le 6 juin 2001. À 13 heures, j'arrive chez Lynda Lemay. Elle m'accueille elle-même avec ce grand sourire qui met immédiatement en confiance et qui donne l'impression que l'on rentre chez soi après un long voyage. Poignée de main ferme. À gauche, le petit bureau de sa maison de production, compagnie gérée par sa petite sœur Diane. Présentations. Tout droit, le grand salon-salle à manger. Vue imprenable et grand angle sur le fleuve Saint-Laurent par une journée de juin remplie d'un soleil qui donne envie de revoir tous ces lieux habités avec bonheur. Face à un tel paysage, il est facile de s'imaginer ce qu'est le bien-être.

Rencontrer cette créatrice, c'est comme rencontrer une personne que l'on connaît depuis très longtemps. C'est ce que je ressens dès les premières minutes de cette réunion de travail avec Lynda Lemay. Certes, je l'ai vue plusieurs fois en spectacle, j'ai écouté ses disques, j'ai lu, relu et analysé tous ses textes disponibles, je l'ai entendue raconter sa vie dans les médias, j'ai lu à peu près tous les potins à son sujet, mais c'est la première fois que je suis en contact direct avec elle.

Cette femme a une attitude générale, une chaleur, une lumière qui met l'autre à l'aise. En m'assoyant à la grande table qui lui sert de bureau, j'ai la nette impression que nous allons poursuivre un échange entrepris au cours d'une précédente rencontre qui n'a pourtant jamais eu lieu.

Entre le moment où je suis entré dans cette maison et celui où je suis maintenant assis à cette grande table de travail, il s'est passé, tout au plus, dix minutes. Et pourtant, du moins j'en ai le sentiment, le contact est totalement établi. J'installe mon micro, mes documents, mon magnétophone. Je lui parle brièvement des questions qui me préoccupent. Elle se dit bien d'accord avec tout cela puisque c'est ce que je lui avais dit lors d'une première conversation téléphonique six mois plus tôt, moment où elle avait accepté de collaborer à mon projet de livre sur son œuvre et sur sa carrière.

« Veux-tu que je te chante ma dernière chanson que j'ai terminée ce matin ? » me lance-t-elle pour démarrer l'entrevue. Je suis tellement surpris de cette proposition. J'approche ma main pour démarrer le magnétophone, mais je la retire, un peu par respect pour elle puisque je ne lui en avais pas demandé l'autorisation[7].

Son grand cahier noir devant elle, accompagnée de sa guitare, Lynda commence son interprétation avec la même attitude que je lui ai souvent vue lors de ses spectacles. Elle se livre totalement, avec une émotion à fleur de peau. On a la nette impression que l'émotion flotte dans le lieu.

Je crois que je n'ai jamais écouté une interprétation avec autant d'attention. Une chanson vibrante et troublante sur l'amour

« tabou », une chanson ouverte parce qu'elle offre plusieurs pistes d'interprétation. Parle-t-elle de son dernier amour déçu, de l'espérance d'une réconciliation avec un amoureux qui l'a laissé pour une autre, de l'espoir de la naissance d'un nouvel amour ou encore d'un attrait pour un amour défendu ? Tout cela et peut-être rien de cela. Mais, indéniablement, ce texte traite d'un thème qui revient souvent dans son œuvre et dans sa vie : le tiraillement entre le désir et la retenue.

Une chanson avec un titre de travail, *Tabou*, qui deviendra par la suite *C'est un rêve.*

> C'est un rêve que je garde
> À l'écart, à l'abri
> C'est un rêve que je tarde
> À jeter dans l'oubli
> Et parfois par mégarde
> J'le caresse sans bruit. [...]
> C'est un rêve tabou
> Je l'avoue c'est trop bête
> C'est un rêve de nous
> Et déjà je regrette
> De le trouver si doux. [...]
> C'est un rêve boîteux
> Un rêve qui a des rides
> C'est un rêve aussi vieux
> Qu'il peut être stupide
> C'est un rêve condamné
> À l'absence de son sort[8] [...]

Tout est là, tout est possible. Pourquoi avons-nous l'impression ou le besoin de croire qu'un auteur de chansons crée nécessairement une œuvre autobiographique ? Probablement parce qu'il n'y a rien de plus intime que d'écouter un auteur qui interprète son texte accompagné d'une musique qui lui est propre. Une chanson interprétée par son auteur peut-elle être autre chose que sincérité ?

Pendant presque trois heures, nous avons discuté de son œuvre, nous avons échangé sur nos perceptions du monde, nous avons partagé des informations sur des détails de nos vies réciproques comme si nous avions un long passé commun. Ce qui n'était évidemment pas le cas. Mais, à la réflexion, ce que je viens de dire est partiellement faux. Nos écritures respectives font que ni l'un ni l'autre n'étions en terrain totalement inconnu.

Au cours de ce même été, nous avons prévu plusieurs autres entrevues afin de poursuivre la réflexion sur son univers axiologique, propos premier de cet ouvrage.

Qu'est-ce qu'un univers axiologique ? Chaque personne est porteuse de valeurs qui sont plus ou moins claires, choisies ou assumées. Ces quelques valeurs, habituellement de deux à six, se regroupent dans ce qu'on appelle une architecture. Celle-ci est donc le profil de la personne, c'est son univers axiologique. Partiellement, c'est ce qui vaut pour elle et c'est aussi ce qui lui pose problème. Idéalement, un univers axiologique[9] se compose uniquement de valeurs harmonieuses, c'est-à-dire que les préférences de la personne sont en cohérence avec ses références. En d'autres mots, les valeurs que je préfère sont celles que je vis dans le quotidien. Dans les faits, un univers axiologique est en mouvement autour de choix, de tensions et de dilemmes puisqu'il affronte d'autres univers axiologiques, notamment le social et l'économique.

D'où l'idée que la vie est complexe puisqu'il y a toujours des tensions entre nos préférences et nos références, entre nos aspirations et la vie réelle.

Cela est vrai pour vous, pour moi et aussi pour Lynda.

3 Le 26 juillet à Carcassonne

Ce spectacle de Carcassonne a été une expérience unique pour plusieurs des spectateurs si je me réfère au nombre de témoignages que j'ai reçus à la suite de celui-ci. J'ai retenu ceux de Josette, de Vanessa et de Philippe.

Josette a convaincu Georges, son mari, d'assister avec elle à un concert de Lynda Lemay qui aura lieu, en plein air, dans la cité médiévale de Carcassonne. Avant tout, elle souhaite qu'elle et lui retrouvent des intérêts partagés, comme au temps de leurs fréquentations. Depuis vingt ans, la fébrilité de la vie les a tellement éloignés l'un de l'autre qu'elle se demande même s'ils ont encore le moindre projet commun.

Josette apprécie Lynda depuis qu'elle a découvert la chanson *Le plus fort c'est mon père.* À 40 ans, ce texte a ravivé une profonde blessure en elle. Non, son père n'était pas le plus fort, mais il était un homme d'engagement à l'égard de sa conjointe et de ses enfants. Josette a longtemps cru qu'il était un homme faible brisé par l'alcool et par les souvenirs de guerre qui le hantaient sans cesse. Avec le temps, ce jugement a accentué la distance entre elle et son père. Aujourd'hui, elle se connaît suffisamment pour affirmer qu'elle a les jugements de valeur faciles et rapides envers les autres. Mais il est trop tard pour les nuancer face à son père puisqu'il a choisi de quitter ce monde il y a maintenant un peu plus de deux années, quelques mois après que sa conjointe eut été diagnostiquée atteinte de la maladie d'Alzheimer. Elle n'avait plus de mémoire et lui en avait trop. Josette regrette de n'avoir jamais manifesté d'affection envers son père. Elle en a toujours été incapable. Même aujourd'hui, elle n'arrive pas spontanément à dire « Je t'aime », même à Georges.

À Perpignan, la journée grise est ponctuée d'averses de pluie. Josette craint l'annulation du spectacle de Carcassonne. Vers la fin de l'après-midi, le ciel s'éclaircit et le couple prend la direction de la cité en Westfalia, camping-car mythique.

Pour sa part, Vanessa est partie de Narbonne afin d'assister à ce spectacle. Elle a fait le déplacement de 100 kilomètres avec deux autres personnes, malgré une maladie qui l'oblige à limiter ses sorties.

À l'arrivée, les grilles sont ouvertes. Le spectacle aura donc lieu. Il commence. Presque immédiatement, une fine pluie débute. En québécois, Lynda annonce ses couleurs : « Tant que vous tofferez, je tofferai. » Elle explique : « Tant que vous supporterez la pluie, je la supporterai moi aussi. » Après quelques chansons, la pluie s'accentue. Cela devient dangereux pour l'équipement et les musiciens. Tout est bâché, y compris le lit installé sur scène et qui représente sa chambre en désordre. Les musiciens sortent de la scène. Elle continue seule à la guitare. Elle demande à ses musiciens de revenir sur scène pour faire le chœur. Ils rigolent tout en sachant qu'elle est coriace et qu'elle fera tout pour son public. Après quelques chansons encore, la pluie s'intensifie. Le régisseur fait savoir qu'il n'est plus d'accord. Il faut arrêter le spectacle. Lynda propose un arrangement aux spectateurs : elle présente une dernière chanson et, si la pluie continue, elle arrêtera. Le miracle se produit. Progressivement, les musiciens reviennent sur la scène. Mais pas pour longtemps. Le régisseur a compris que rien n'arrêtera Lynda et les spectateurs. Un auvent improvisé est installé afin de protéger les musiciens. Cela fait un peu irréel. Du terrain, les spectateurs ne voient plus la tête des musiciens. Sous la pluie, Lynda poursuit le concert.

Georges se laisse emporter par le spectacle. Josette n'aurait jamais cru qu'il resterait malgré la pluie. Elle l'observe discrètement. Elle devine qu'il trouve Lynda bien belle, mais il est aussi très attentif aux paroles des chansons. Il rit beaucoup, mais il retient son émotion au cours de certaines chansons plus dramatiques. Elle le sent touché. Tous les deux vivent un moment intense, un moment de rapprochement quand Lynda chante *Dans mon jeune temps.*

[…] Dans mon jeune temps, j'comprenais pas
C'que voulait dire « mélancolie »
J'croyais qu'il y avait des mots comme ça
Qui étaient là juste pour faire joli
Dans mon jeune temps, j'croyais qu'la vie
C'était très long, mais j'ai grandi
Et voilà que j'ai l'impression
De manquer d'jours et de saisons
Voilà que je parle comme les vieux
Avec des larmes dans les yeux
De mon mariage, de ma carrière
Et de tout c'que j'ai pas pu faire[10] […]

Pour Vanessa, le spectacle est grandiose, « du bonheur à l'état pur ». Cela confirme ce qu'elle pense de Lynda : « Une grande dame passionnée, généreuse qui fait passer des émotions fortes en souplesse et en délicatesse, et avec une tendresse et un charme absolu. »

Après un rappel de plus de 10 minutes sous la pluie, le spectacle prend fin.

Près du pont-levis, Josette saute dans les bras de Georges : « Je t'aime tant, tu sais. »

Georges propose : « Viens, je connais un petit parc dans la vallée sur le bord de l'Aude. On y passera la nuit dans le camping-car comme dans notre jeune temps. »

En revenant vers Toulouse, après avoir échangé des commentaires sur « cette soirée mémorable », Philippe et sa conjointe sont bien silencieux. En rappel, Lynda a chanté *Ceux que l'on met au monde*, chanson sur les parents d'enfant handicapé. Tous deux attendent un enfant. Depuis quelques semaines, ils sont préoccupés par la suite de la grossesse et la santé du bébé. Philippe dira plus tard : « Un je-ne-sais-quoi nous a poussés à Carcassonne ce soir-là, malgré l'incertitude du temps et malgré la fatigue de la journée. Nous connaissions très peu Lynda avant ce concert. Mis à part une ou deux rencontres par la télévision, nous n'avions jamais assisté à un spectacle et nous n'avions aucun CD [...] Depuis, une petite fille tout à fait bien portante est venue éclairer notre foyer. Nous ne l'avons pas appelée Lynda, même si celle-ci est maintenant très présente dans notre vie. Nous avons maintenant tous ses CD, que je fais découvrir à la famille et aux amis. [...] On peut dire que le concert de Lynda a provoqué beaucoup d'émotion et de réflexion entre nous deux, si bien qu'il y a un avant et un après Lynda. »

Mais ce soir-là, Lynda avait le cœur heureux. La veille, au festival de Paleo à Nyon en Suisse, 25 000 personnes avaient assisté à son spectacle en plein air et souligné son 35e anniversaire de naissance, époque qui marque aussi, pour elle, la naissance d'un possible nouvel amour.

À Carcassonne, elle a rencontré un public complice. « Qu'est-ce qu'une artiste peut demander de plus ? » me dira-t-elle à son retour au Québec.

Décidément, Carcassonne a une âme. Lynda, Josette, Georges, Vanessa et Philippe en témoignent.

4 D'où vient une chanson ?

À chaud, au cours de trois rencontres assez rapprochées, Lynda a accepté de réagir à une trentaine de ses chansons éditées. Je voulais savoir ce qui l'avait inspirée, ce qu'elle retenait d'un texte même après plusieurs années, ce qui lui appartenait et ce qui appartenait aux autres. Dans un premier temps, j'ai retenu *Nos rêves* et *Entre vous deux*, chansons composées à la fin des années 80, et *Je suis grande* et *Mon nom*, écrites à la fin des années 90. Ces textes ont une caractéristique commune puisqu'ils sont tous écrits à la première personne du singulier. Pour le moment, je me contenterai de vous livrer quelques réactions et quelques commentaires de l'auteure de ces chansons.

« Mais si le temps s'y met le temps souvent défait nos rêves…[11] »

En relisant *Nos rêves*, qu'elle n'a pas interprétée depuis longtemps, Lynda a eu une réaction très spontanée : « C'est vrai en maudit. On se promet plein de choses qu'on ne fait pas. » Par la suite, elle ajoutera : « Dès cette époque, je trouve que j'étais consciente de bien des choses. Surtout que l'amour, ça peut être traître. Je crois que le temps m'a un peu donné raison.» Est-ce pour cela qu'elle n'a pratiquement jamais écrit de véritables chansons d'amour?

Entre vous deux est une chanson de référence dans l'univers des valeurs de Lynda, puisqu'elle contient déjà un thème qu'elle abordera souvent au cours de la décennie suivante et qui est présent dans le court extrait suivant: «Il n'y a que votre amour qui peut me faire croire à l'amour.»

Ayant le projet d'écrire un roman, Lynda revient habiter chez ses parents dans la région de Portneuf au Québec. Cette maison et cette vie familiale ont toujours été un repère pour elle. «C'est mon appartenance, ma stabilité et ma sécurité.» C'est dans ce contexte chaleureux qu'elle écrit *Entre vous deux*, qui exprime cette chance qu'elle a d'avoir des parents qui la protègent et qui l'inspirent. Elle y manifeste aussi l'espoir de vivre elle-même un tel amour qui procurera des sentiments de sécurité et d'appartenance à ses enfants. «Oui, l'amour existe, puisque je l'ai observé durant toute mon enfance. Et mes parents, malgré toutes les joies et les peines propres à toutes les existences, le vivent encore aujourd'hui.» Pour Lynda, l'importance d'un tel milieu va plus loin car elle se dit assurée que le bonheur qui est ancré en elle lui vient de cette enfance. Elle en a la profonde conviction. De plus, les liens profonds qu'elle a tissés avec ses parents et ses deux sœurs – France et Diane – sont extrêmement importants pour elle: «Sans cette famille-là, je n'aurais pas passé au travers de certaines périodes difficiles de ma vie.»

Lynda a une fille dont elle a la garde partagée avec son ex-conjoint. «Tu vois, je n'ai pas pu lui donner la vie familiale dont j'avais rêvé, mais je fais tout pour qu'il y ait une certaine stabilité dans sa vie, malgré que je vis sur deux continents. Ici, cette maison, je veux la conserver pour toujours afin qu'elle soit un repère et un ancrage pour Jessie et moi.»

Aujourd'hui, plusieurs sociologues prétendent que de telles valeurs « familiales » sont conservatrices et traditionnelles par rapport « aux valeurs de la modernité ». Évidemment, j'ai demandé à Lynda de réagir à cette affirmation : « Je ne sais pas si j'ai des valeurs conservatrices. Si c'est le cas, je l'assume. Je sais cependant que j'ai un peu peur du changement. »

Lynda affirme que *Je suis grande* est un texte qui n'a pas une dimension biographique. Cependant, elle dit que c'est tout le contraire pour *Mon nom*. Rappelons la petite histoire de ces deux chansons.

La chanson *Je suis grande* a été composée au piano quelque temps après que Lynda l'eut acheté. C'est la musique qui l'a conduite à ce texte totalement imprévisible. Que raconte cette chanson ? Le refrain est particulièrement significatif.

> « Bravo !
> Je suis grande, je suis raisonnable
> Honnête et patiente, bonne et charitable
> J'ai la tête froide, je m'oublie pour d'autres
> Mais c't'un cœur malade qui bat dans mes côtes
> Je me sens petite, je me sens fragile.[12] »

« Je ne sais pas pourquoi ce texte est arrivé. C'est loin de moi et je ne pense pas avoir été inspirée par quelqu'un de mon entourage. Il était là puisqu'il a émergé. Mais, en même temps, je comprends que cette chanson touche les gens qui veulent tout balancer parce qu'ils ne peuvent plus endurer leur quotidien ou encore les responsabilités trop lourdes qui se multiplient sans cesse. »

Dans *Mon nom*, Lynda exprime sa nature profonde, qui correspond à ses valeurs naturelles, analyse que je présenterai à la fin de cet ouvrage. Cette chanson est venue dans un moment de solitude. Sa fille est alors chez son père. Nous sommes le premier Noël après la rupture avec son mari. Lynda choisit de passer ces journées à la maison. Tout la mène à une réflexion sur elle-même. Combien de fois lui a-t-on suggéré de moins se livrer, d'être plus réservée dans ses propos, de se protéger, de moins s'ouvrir à tous ceux qui lui posent des questions sur sa vie ? Autrement dit, on lui suggère souvent d'être plus neutre, moins généreuse dans son propos, d'être un peu plus sur la défensive. La chanson *Mon nom* est sa réponse très personnelle à toutes ces suggestions :

> « Si vous me demandez mon nom
> Je vais me confondre en franchise
> Je vais vous montrer mes blessures
> Chaque trace de chaque déception [...][13] »

Dans cette chanson, Lynda affirme son attachement à l'authenticité, à la transparence et à la confiance. Étant un personnage public, elle le fait à ses risques et périls. Elle le sait bien, mais je crois qu'elle ne peut pas faire autrement. Sans cette attitude, elle ne pourrait pas écrire et elle ne pourrait pas vivre selon sa conception de la vie.

Pour la créatrice, cette authenticité et cette transparence lui semblent absolument nécessaire. Elle crée à partir de sa spontanéité et à partir de ce qui lui vient naturellement. En ce sens, sa création n'est pas calculée.

Sur le plan personnel, elle a une seule réserve. Depuis quelque temps, elle refuse systématiquement de parler de ses amours quand des journalistes abordent le sujet au cours d'entrevues. Rien ne les empêche toutefois d'essayer d'obtenir quelques informations ou quelques potins. Elle résiste. Mais on sent toujours qu'elle doit faire un effort pour ne pas se retrouver sur cette pente glissante.

Cela ne l'empêche pas de parler de l'amour dans ses chansons.

5 La chanson fétiche

Aimé, détesté, manquant, distant, chaleureux, exubérant, frivole, responsable, délinquant, engagé, irresponsable, loyal ou déloyal sont quelques-uns des mots possibles que chacun et chacune peut utiliser pour porter un jugement de valeur sur son père.

Écrite en décembre 1992, *Le plus fort c'est mon père* fait partie de l'album *Y* produit en 1994.

Avant tout, ce texte est un hommage à l'engagement dans un couple. Du moins, Lynda l'a travaillé sous cet angle, elle qui ne rencontrait jamais d'hommes ne fuyant pas devant les engagements et les responsabilités.

Un soir, elle en a chanté une première version à sa grande copine Marie-Claude. Celle-ci l'encourage à poursuivre dans cette direction puisque ce thème est une préoccupation de l'époque et que le texte est particulièrement touchant.

Celles et ceux qui suivent Lynda Lemay depuis le début de sa carrière affirment que cette chanson est un point tournant dans leur attachement à l'égard de cette artiste. Je suis de ceux-là. Mais, en même temps, je suis toujours resté étonné que la même jeune fille au début de la vingtaine ait écrit *Jamais fidèle* et *Le plus fort c'est mon père.* La première reflète un certain pessimisme et une certaine superficialité à l'égard de la relation amoureuse alors que la deuxième est remplie d'admiration et d'espoir.

Quelque dix ans plus tard, cette dernière chanson suscite encore d'étonnants témoignages. *Le plus fort c'est mon père* est un texte qui produit de profondes résonances. Ici, je vous communique quelques-uns des témoignages les plus significatifs que j'ai reçus. Vous verrez comment un texte d'un peu plus de trois minutes peut susciter des expériences multiples et variées.

Je fais une mise en garde qui est valable pour la plupart des témoignages qui suivront dans ce récit. Quelquefois, les commentaires et les témoignages se sont raffinés à la suite de plusieurs échanges. Ici, je ne peux pas me permettre de présenter toutes les séquences de ces dialogues. Alors, j'ai choisi de vous les présenter comme si on me les avait communiqués en une seule fois.

L'hommage de Myriam (Victoriaville)

« À la première écoute de cette chanson, au milieu des années 90, j'ai eu une réaction très spontanée : Mais c'est mon papa qu'elle décrit ! J'ai eu l'impression que Lynda Lemay savait ce que je voulais dire à mon père et qu'elle avait trouvé à ma place les mots pour l'exprimer. C'était absolument merveilleux. Comme on le fait souvent dans la vie, j'ai retardé de la lui chanter. Il a eu un accident cérébral vasculaire qui a entraîné perte de la parole, de la concentration et il a paralysé. Tout cela a duré trois longues années. Comme il n'a jamais retrouvé sa vie normale, je ne lui ai jamais offert cette chanson qui est restée un rêve pour moi. Je lui ai cependant fait jouer à l'église lors de ses funérailles en janvier 1998. Un peu plus tard, Lynda Lemay a donné un spectacle dans ma ville.

J'ai alors ressenti le besoin de lui dire merci. Merci pour les mots, merci pour cette chanson. Je lui ai donc écrit une lettre que j'ai mise dans une enveloppe avec une photo de mon père. Je me suis rendue à son spectacle. À l'intermission, j'ai donné mon enveloppe à une personne de son entourage en lui demandant de la remettre à Lynda et en lui mentionnant que cela était très important pour moi. Je crois que cela faisait partie d'une étape importante de mon deuil.

« Lynda est revenue sur scène. Elle a chanté une chanson puis elle s'est arrêtée. Elle s'est mise à parler : Ma prochaine chanson, je la chanterai pour un monsieur qui avait le cœur gros comme ça – elle ouvre les bras – et qui malheureusement nous a quittés. Je ferai cette chanson pour monsieur Benoît Houle et sa fille Myriam. J'ai éclaté en sanglots. Imaginez, elle, Lynda, elle-même, elle chantait dans une salle pleine à craquer pour mon père.

« Après le spectacle, je l'ai rencontrée afin de lui communiquer la joie que j'ai éprouvée au cours de cette soirée… »

La prise de conscience d'Évelyne (Lausanne)

« Je ne pourrais pas chanter ou faire écouter à mon père ce texte parce qu'il est trop loin de lui. Pourtant, j'adore cette chanson que j'écoute souvent en boucle. Mon père et ma mère ne s'aiment pas. Je crois qu'ils se tolèrent depuis longtemps plutôt par devoir et par un sens commun des responsabilités. Pourtant, ils ont trouvé avec le temps une manière confortable d'être ensemble. Je ne les juge pas, mais je pense qu'ils ont une manière différente de considérer l'engagement. En tout cas, elle est différente de celle qui anime ma génération. Est-ce mieux ou pire ? Je ne sais pas.

« Pour moi, cette chanson de Lynda représente un certain idéal de la vie en couple où l'on partage des valeurs communes. Où la complicité et la confiance sont telles qu'on maintient le cap malgré les tempêtes, les drames, les événements imprévisibles et les erreurs commises par l'un ou l'autre. Je ne me confesserai pas publiquement, mais je dirai que je ne me suis jamais rapprochée de cet idéal, mais je ne désespère pas.

« Je trouve qu'il est malheureux que Le plus fort c'est mon père ne soit pas une chanson plus connue de l'ensemble du public d'ici. À moins de posséder toute la discographie de Lynda, il est impossible de connaître cette belle chanson puisqu'elle ne joue jamais à la télévision ou à la radio.

« À l'Olympia en mars dernier, j'ai entendu pour la première fois *J'veux bien t'aimer.* Curieusement, maintenant, je ne peux pas penser à *Le plus fort c'est mon père* sans l'associer à cette nouvelle chanson. Toutes les deux me font réfléchir sur l'engagement et la loyauté. On peut bien reprocher à l'autre de manquer à ces valeurs, mais je m'aperçois que je les ai moi-même souvent fuies. Mais comme Lynda, je crois aussi que l'amour se construit avec acharnement : « Je vais t'aimer / C'est une promesse / Est-ce que t'entends / C'que j'te dis là ? ! ! ! »

« Merci d'accueillir mon ressenti. Je n'ai pas souvent la chance de le communiquer. J'aimerais tellement ne plus être une fille seule. »

Le kidnapping de René (Vaudreuil)

« Il y a 5 ans, à l'occasion de mon soixantième anniversaire de naissance, mes deux filles m'ont forcé à assister à un spectacle de Lynda Lemay à Montréal. À 57 ans, après 38 ans de vie commune, j'ai perdu ma conjointe à la suite d'une terrible et foudroyante maladie. Alors, je me suis lancé corps et âme dans le travail tout en me gardant un peu de temps afin de voir mes deux filles, leurs conjoints ainsi que mes trois petits-enfants.

« Je n'ai pas eu le choix d'assister à ce spectacle. Avec la complicité de mon assistant, on m'a encadré en venant même me chercher à mon bureau du centre-ville. Sachant que je n'aurais évidemment pas encore soupé, elles avaient même apporté un petit lunch que nous avons mangé dans la salle de conférence. Elles avaient même pensé à mon bordeaux préféré. J'en ai profité pour prendre des nouvelles de chacun. Après, nous nous sommes rendus au spectacle en taxi, profitant ainsi des espaces de stationnement de mon bureau.

Dès la première chanson, j'observe bien que mes deux filles sont subjuguées par cette Lynda Lemay. Mais je dois bien avouer que je la connais très peu. Moi, j'aime surtout ses chansons plus drôles, comme celle qui parle qu'elle ne veut pas de visite ou encore celle sur les souliers verts. À un moment donné, aux premières notes d'une chanson, une de mes filles me prend la main, l'autre le fait également dans les instants qui suivent.

> « Comment t'as fait, maman
> Pour savoir que papa
> Beau temps et mauvais temps
> Il ne partirait pas [...]
> Comment t'as pu trouver
> Un homme qui n'a pas peur
> Qui promet sans trembler
> Qui aime de tout son cœur[14] »

« Mes filles chantent en même temps que madame Lemay. Habituellement, je coupe court à toutes ces marques d'affection tout simplement parce que cela me met mal à l'aise car je ne sais vraiment pas comment y répondre, mais cette fois-ci je me sens totalement sollicité par les mots et par les étreintes de mes filles. Je ressens une chaleur intérieure qui tranche étrangement avec cette froideur, cette rage et cette agressivité qui m'habitent depuis le décès de Jacqueline.

« Ne me demandez pas comment ce spectacle s'est terminé. J'étais comme dans un passage isolé du monde, n'entendant plus rien. Il ne m'en reste aucun souvenir. Je m'en excuse auprès de madame Lemay si jamais elle lit ce témoignage.

« Par la suite, nous avons marché jusqu'à mon restaurant préféré. Avec une certaine sérénité, nous nous sommes souvenus de tous ces bons moments passés ensemble quand nous étions tous les quatre sous le même toit. Pour moi, cette époque est la plus belle et la plus riche de ma vie. C'est comme ça. J'y pense souvent avec nostalgie et mélancolie, même si je sais qu'on n'arrête pas le temps et surtout qu'on ne peut jamais revenir en arrière.

« Depuis ce spectacle, une grande tendresse s'est développée entre mes deux filles et moi. Une tendresse avec peu de mots, mais avec beaucoup de complicité, une tendresse qui s'apparente à celle que je vivais avec Jacqueline. Maintenant, facilement, je peux discuter avec elles de cette soirée, même avec humour, en leur rappelant que c'est la journée où j'ai été kidnappé par les deux meilleures filles du monde.

« Toutes deux savent que cet anniversaire a été le début d'une renaissance pour moi. Je me demande souvent si tout cela serait arrivé si une toute jeune femme n'avait pas écrit un tel hommage à l'amour et à ceux qui s'engagent.

« J'y serais arrivé. J'en suis persuadé. Mais sans doute par un cheminement plus chaotique. Et peut-être en m'éloignant encore davantage de mes filles. Je ne sais pas. »

Le témoignage de Lucie, fille de René

En réponse à un appel de contributions que j'avais fait sur mon site web, Lucie m'a contacté. Par la suite, à ma demande, elle est intervenue auprès de René, son père, pour qu'il accepte lui aussi de témoigner.

« Quelques fans de la région ont organisé un groupe de discussion autour des chansons de Lynda Lemay. Dès que nous avons su qu'un livre sur celle-ci était en voie de réalisation, nous avons décidé de répondre aux questions qui circulaient sur Internet. Moi, je veux vous parler de la chanson *Le plus fort c'est mon père* tout simplement parce que je l'ai utilisée comme ultime recours afin de me rapprocher de mon père qui avait beaucoup changé depuis le décès de ma mère.

« Ma sœur et moi, nous ne pouvions supporter plus longtemps sa froideur, qui ne lui était absolument pas naturelle. Il avait tellement mal qu'il croyait se protéger en coupant les contacts affectueux avec les siens. Il est du genre à croire qu'il peut tout régler par lui-même par la seule force de sa volonté. C'est un homme qui s'est battu toute sa vie afin de faire son chemin dans les affaires, mais, à cette époque, il ne réussissait pas à se remettre du choc de la disparition de maman. Même s'il faisait tout pour nous faire croire que tout allait de mieux en mieux. Nous sentions très bien qu'il nous jouait la comédie et qu'il s'isolait de plus en plus.

« Ma sœur et moi, nous avons toujours été proches de notre père, mais un lien s'est brisé à peine quelques semaines après le départ de notre mère. Il s'est alors blindé contre les émotions et les sentiments. En tout cas, c'est mon interprétation.

« Le bel amour engagé, harmonieux et de longue durée a aussi ses risques. C'est du moins ce que je constate aujourd'hui. Être longtemps en couple, c'est être couplé, c'est une certaine forme d'attachement, c'est se déplacer ensemble dans la vie. La mort de l'un ou de l'autre est une rupture sans retour qui est donc bien plus douloureuse qu'une simple séparation [...] »

L'expérience inoubliable de Mélanie et de Karesse (Gatineau)

« Lynda nous fait vivre des émotions que nous tentons d'oublier et d'autres que nous avons imaginées. Je peux rêver, pleurer et rire dans la même demi-heure. Dans plusieurs de ses chansons, elle nous montre l'importance de la famille qui, je crois, est une valeur importante pour elle. Je pense ici à la chanson *Ma chouette.* Toutes les femmes qui ont accouché trouvent un sens profond à ce texte. Mais je veux aussi vous relater une brève anecdote qui m'a particulièrement touchée au cours de l'automne 2000. Je suis allée la voir en spectacle avec ma nièce de 11 ans, Karesse. Nous étions assises au milieu de la première rangée. Évidemment, ma nièce était très excitée de la voir si proche. Lynda a chanté *Le plus fort c'est mon père* assise à l'avant de la scène, tout juste devant Karesse. C'est sa chanson préférée et elle en connaît toutes les paroles. Elle chantait en même temps que Lynda. À la fin de la chanson, Lynda l'a fait monter sur la scène et elles l'ont rechantée. Il fallait voir la lumière dans les yeux de ma nièce.

« Depuis ce temps, elle ne voit plus les artistes de la même manière. Quel cadeau ! »

6 Les chansons qui bouleversent

À chacun ses larmes, pourrait-on dire quand une chanson nous ramène à une blessure qu'on porte en soi, à une émotion particulière ou à un sentiment quelconque. Lynda Lemay a probablement le génie d'écrire de petites histoires qui évoquent l'essentiel de l'expérience de chacun.

« Dans cette chanson, elle raconte ma vie », m'a-t-on souvent mentionné au cours de différents échanges avec des personnes qui apprécient le travail de cette artiste. Dans ses spectacles, Lynda joue sans cesse sur la tension entre les tons. D'ailleurs, c'est le sens du titre de son album *Du coq à l'âme.* Les chansons humoristiques, sarcastiques ou légères alternent avec celles qui sont bouleversantes ou troublantes. Tous ses albums et tous ses spectacles ont été construits autour de cette alternance de tons. Écoutez un album « live » de Lynda et vous entendrez cette tension. Les chansons « coq » provoquent un tonnerre spontané d'applaudissements alors que les chansons de « l'âme » en suscitent, mais ils sont plus réservés.

Comme si les émotions et les sentiments imposaient une retenue aux réactions immédiates. Et pourtant, les admirateurs de la créatrice sont unanimes à affirmer qu'ils ne l'aimeraient pas autant sans cela : « Du Lemay, c'est ça. Elle vient te chercher profondément, elle te bouleverse, elle suscite quelquefois un malaise émotif quasi insupportable et, dans les secondes qui suivent, elle t'en libère en te faisant sourire ou éclater de rire. »

Lynda Lemay joue sans cesse entre le grave et le léger. Mais ce qui est léger pour une personne ne l'est pas automatiquement pour une autre. Demandez à Annette, cette femme de 69 ans, qui n'écoute pas *Les souliers verts* avec légèreté mais avec une certaine gravité : « Il y a quelques années, en allant rejoindre mon mari dans une auberge, quelle ne fut pas ma surprise de trouver suspendu dans la garde-robe de la chambre un tailleur noir qui, selon mon mari, avait été déposé là sans qu'il sache par qui ni pourquoi. Par la suite, mon enquête me confirma qu'à ce moment là j'aurais pu écrire *Les souliers verts.* [...] Lynda est jeune et elle pourra continuer sa route, mais elle verra bien qu'un premier vrai amour ne s'oublie jamais. Et se rendre compte qu'on a été trahi, ça laisse des séquelles. »

> « Quand j'suis arrivée dans la chambre
> En t'les montrant
> T'étais comme un caméléon sur le lit blanc [...]
> Ben oui ça pousse des souliers verts
> C'est comme une sorte de champignon
> Une sorte de quenouille ou d'fougère
> Ça devait être humide dans la maison[15] »

Jean-François, un correspondant d'Eaubonne, dans la banlieue parisienne, m'a mis sur une piste intéressante quand il m'a communiqué cette constatation personnelle: « Quand elle est sur scène, on a l'impression qu'elle est assise à côté de nous. Chacun apprécie une artiste à sa façon. Moi, ce qui me touche le plus, c'est cette proximité, cette complicité et cette volonté de partage qu'elle nous communique à travers ses chansons. On a comme l'impression qu'elle nous est familière et proche. »

Les gens ressentent que cette valeur de partage habite les attitudes et les chansons de Lynda. Et pourtant, à ma connaissance, elle n'a jamais écrit un texte directement ou même indirectement sur le sujet.

De loin, *Ceux que l'on met au monde* est la chanson qui a provoqué le plus de commentaires dans les entrevues que j'ai menées et dans les groupes de discussion qui se sont formés. « Cette chanson n'est ni du sensationnalisme ni du mélodrame, c'est la vie [...] c'est cela qui dérange et qui bouleverse », affirme Michelyne, des Bois-Francs, en ajoutant que Lynda « nous dit qu'on peut assumer le pire tout en continuant à rechercher le meilleur ».

Voici quelques témoignages qui expriment la tendance générale à l'égard de cette chanson de plus de six minutes et demie:

« J'ai une petite préférence pour cette chanson. Lorsque je l'ai écoutée pour la première fois, j'ai versé une ou deux larmes. C'est tellement vrai ce qu'elle dit. Mais comment peut-on imaginer aussi bien ce qu'une mère peut ressentir dans une telle situation? Ma grand-mère n'a pu l'écouter jusqu'à la fin tellement elle pleurait. » Cédric, de Morges en Suisse.

« Cette chanson m'a immédiatement accrochée. J'ai un enfant trisomique et le ressenti qu'elle y exprime me fait toujours pleurer. Elle a su si bien décrire tous les sentiments de parents d'enfants handicapés. [...] Le 30 janvier dernier, je l'ai rencontrée à Mâcon au cours d'une séance de dédicace. Nous avons un peu parlé. Elle a un cœur gros comme ça. Avant son spectacle, je lui avais fait parvenir dans sa loge un petit mot contenant une photo de mon fils Ludovic et un poème que j'avais fait à l'occasion de sa communion. Elle nous a dédié la chanson *Ceux que l'on met au monde* quand elle l'a interprétée. J'ai littéralement fondu.» Christine, de Saint-Maurice-en-Rivière.

«Je veux vous raconter le sentiment que j'ai eu lorsque j'ai entendu cette chanson. À la première écoute du CD, j'avais passé cette chanson que je trouvais trop longue. Et puis, je l'ai finalement écoutée, avec attention. J'ai compris son sens et elle m'est allée droit au cœur, moi qui ai une petite fille que j'appelle souvent ma grande. On voudrait tous avoir des enfants en santé, des enfants qui deviendront des adultes à part entière. Avant d'entendre cette chanson de Lynda, je disais souvent à ma grande que je ne voulais pas qu'elle grandisse, qu'elle reste toujours mon ti-bébé d'amour. Je n'aurais pas voulu qu'elle prenne d'autonomie. Je souhaitais un peu qu'elle dépende toujours de moi. Mais maintenant, je l'aide à prendre son autonomie, à bien grandir. [...] Isabelle, du Saguenay.

«Je n'ai pas d'enfant handicapé mais cette chanson suscite une telle émotion qu'il est impossible de ne pas s'y attarder dès la première écoute. Au cours d'un concert à Aix-les-Bains, j'ai entendu ce texte pour la première fois. Dès le départ, la mélodie a attiré mon attention. J'ai écouté les paroles, et j'ai commencé à sentir une boule dans la gorge. Alors je me suis dit que je n'allais pas pleurer pour une chanson qui ne me concerne même pas. [...] J'ai senti alors les larmes couler sur mon visage pour cette chanson criante de vérité.» Sylvie, de Chambery.

Plusieurs témoignages prêtent une fonction thérapeutique aux chansons de Lynda Lemay. C'est dans ce sens que je retiens celui de Marie, de Laurierville.

« En 1998, j'ai donné naissance à un petit garçon, un enfant des étoiles, comme elle le dit si bien dans sa chanson. Alors suite à cet événement malgré tout très heureux pour mon conjoint et moi, je me suis mise à écouter cette chanson lorsqu'il faisait gris dans ma maison. Ce fut un peu comme une thérapie personnelle parce que j'étais souvent interpellée par la dure réalité quotidienne. Alors cette chanson me faisait du bien. J'en étais reconnaissante à Lynda. Avec mon cœur de mère et de femme, je décidais un soir de lui écrire un mot de tendresse en lui racontant l'histoire de mon enfant. Je voulais absolument qu'elle reçoive ce mot. Avec beaucoup d'efforts, j'ai réussi à trouver une adresse. Je lui ai expédié le message en lui mentionnant que mon conjoint et moi serions à son spectacle du 14 décembre 2000 à Victoriaville. Mais, évidemment, je n'avais aucune idée si elle avait pris connaissance de mon message. Afin de m'assurer qu'elle a bien reçu mon message, je lui refais transmettre mon mot de tendresse par une technicienne le soir du 14 en mentionnant que nous l'attendrions après le spectacle. Au troisième rappel, elle se présente au micro avec sa guitare sèche et elle nous offre *Ceux que l'on met au monde.*

« Tel que convenu, nous l'attendions après le spectacle. Il neigeait beaucoup à l'extérieur, alors nous craignions pour notre rencontre. La technicienne est finalement venue nous chercher en nous disant que Lynda voulait nous voir. Nous nous sommes rendus dans sa loge. Nous lui avons remis seulement deux roses jaunes. Deux pour représenter nos fils et jaunes pour la couleur des étoiles. Une rencontre simple de partage entre parents. »

Marie termine son témoignage en confiant que cette démarche a été essentielle afin de boucler la boucle. Cela ne lui a pas rendu la vie quotidienne nécessairement plus facile, mais cela l'a aidée à trouver des repères afin de poursuivre sa route.

Je termine avec le commentaire de Carole, de Villeneuve en Suisse. À travers celui-ci, il est possible de comprendre qu'une chanson comme *Ceux que l'on met au monde* permet de mettre en mots des émotions et des sentiments souvent confus et paradoxaux pour ceux qui les vivent.

« Nous avons un enfant handicapé qui a cinq ans. J'ai entendu cette chanson il y a environ un an. Heureusement qu'à cette première écoute je me trouvais seule, car beaucoup de larmes ont coulé. Ces coups de gueule exprimés avec tant de justesse m'ont émue et remuée par leur vérité. Lynda chantait ce que mon moi intérieur gardait au plus profond de lui-même. Pour certains, un enfant handicapé est un cadeau du ciel. Ces enfants nous donnent tant d'amour. Oui, mais il faut beaucoup d'années de recul avant d'accepter un tel cadeau empoisonné. En attendant, notre âme et notre cœur sont emplis de révolte. Il ne faut pas avoir peur des mots, même s'ils ne sont pas socialement corrects. Il faut donc beaucoup de temps afin d'accepter notre triste destin avec sérénité et avec la conviction que cette situation nous fera beaucoup évoluer. Mais dans notre entourage on dérange d'oser se dire, d'oser exprimer sa crainte de l'avenir. Un tel enfant bouleverse tous les projets d'un couple, car chaque jour nouveau est rempli de nouvelles questions et de nouveaux problèmes puisque les choses se compliquent lorsque l'enfant grandit. [...] Oui, souvent mon cœur soupire. »

« Que Dieu me change en ange
Que je puisse te suivre !
Ceux que l'on aide à naître
Ne nous appartiennent pas
À moins d'aider à naître

Un enfant comme toi
C'est une belle histoire
Que celle qui est la nôtre
Pourtant, j'donnerais ma vie
Pourqu'tu sois comme les autres ![16] »

Pour terminer, je vous communique cet échange avec une jeune fille de 16 ans de la région de Joliette. Elle se sent proche de l'univers de Lynda. Myriam écrit déjà des chansons. Je dois vous dire que sa réflexion m'a particulièrement touché.

« Les chansons de Lynda Lemay sont vraies et émouvantes. On s'y retrouve à tout moment. Que ce soit dans *Je suis grande* lorsqu'on est blasé de la vie et que l'on a l'impression qu'il nous manque quelque chose, lorsqu'on en a assez de sourire juste pour faire plaisir aux autres. Dans les moments où le masque tombe et où l'on a envie d'être soi-même. Ou encore dans *Mon nom* parce qu'on voudrait crier notre histoire au monde entier. Parce que plus rien n'a de sens et que tout ce qu'on voudrait, c'est se faire entourer par les bras de quelqu'un pour s'y endormir à tout jamais. Sans oublier *Décevoir* quand on se sent nul, quand on croit qu'on a tout gâché. Dans ces jours gris où le désespoir nous étreint, quand tout est si noir, quand on n'a plus envie de se battre, on passe exactement par les sentiments que Lynda décrit dans *Chaque fois que le train passe.* Je me retrouve dans toutes ces chansons. Aussi dans des chansons plus joyeuses comme dans *La lune et le miel* qui nous redonne l'espoir quant à l'amour. [...]

« Un jour ou l'autre, chaque chanson s'intègre à ma vie. Et c'est si bon, dans les moments difficiles, d'écouter ses chansons. On se sent alors moins seul. On se sent compris par quelqu'un. Pour une fois. »

7 Les chansons tragiques

« Je ne comprends pas pourquoi, mais j'écris souvent mes textes les plus tragiques ou les plus dramatiques dans les moments heureux et même très heureux de ma vie. » Étonnant ? Pas vraiment, puisque Lynda se prépare toujours au pire. Chez elle, cela semble être une seconde nature. De plus, on ne commande pas l'inspiration. Elle vient, c'est tout.

Au moins deux fois, Lynda a abordé un thème aussi grave que celui du suicide. En janvier 1996 dans *Chaque fois que le train passe* et en juin 2002 dans *Le funeste collier*. La première écrite à la troisième personne du singulier et la seconde à la première.

Dans *Chaque fois que le train passe*, une jeune adolescente, presque une enfant encore, nous semble-t-il, a des tendances suicidaires. À tout le moins, elle y pense sans cesse : oui, chaque fois que le train passe, mais aussi quand elle traverse un pont, quand elle trouve des lames dans un tiroir, quand elle avale ou renifle « une dose à grimper dans les étoiles », quand le regard des autres tombe sur elle ou qu'elle fuit ce même regard, quand elle a mal « dans la classe et dans la rue, en pleine solitude et en pleine foule». Et elle voudrait tant oublier d'y penser dans un grand fou rire «en voyant s'éloigner le dernier train».

Hélène est de la région du Saguenay. Elle admire Lynda depuis l'âge de 13 ans, soit depuis août 1994, donc à l'époque de l'album Y. Pendant l'adolescence, elle a vécu une période très sombre durant laquelle elle voyait la vie en noir, peu importe ce qu'elle faisait ou ce qu'elle réalisait. Elle affirme qu'elle arrivait à se changer les idées uniquement quand elle écoutait les chansons de sa chanteuse préférée. Dans ces moments-là, elle parveait à tout oublier: sa famille, ses problèmes et sa vie en général. Elle se laissait emporter dans l'univers des textes de Lynda où, enfin, elle pouvait vivre plein d'émotions et d'histoires tantôt drôles, tantôt tragiques. Quand elle retombait dans son monde personnel, la déprime s'emparait à nouveau d'elle. Elle ne voyait vraiment pas de solutions à ses problèmes: elle était renfermée, elle ne parlait pas aux autres, elle gardait tout à l'intérieur d'elle, pourtant elle enviait les autres qui étaient capables de parler et de dire ce qu'ils ressentaient. Souvent, la mort faisait partie de ses pensées. Pour elle, *Chaque fois que le train passe* est entièrement conforme à ce qu'elle vivait. «À la première écoute, j'ai eu la sensation que Lynda était entrée dans ma tête», me dit-elle en ajoutant que c'était peut-être la première fois qu'elle se sentait comprise. Avec le temps, elle en est venue à penser que le fait qu'une personne soit si empathique à son égard lui a enlevé un poids énorme. Ce sentiment d'être comprise l'aidait parce qu'elle découvrait de l'espoir. «Je l'écoutais pendant des heures. Cela me donnait le courage dont j'avais besoin afin de faire face à mes problèmes.» Avec le temps, Hélène affirme qu'elle a commencé à voir la vie autrement. En portant un autre regard sur celle-ci, elle a entrepris un processus d'amélioration personnelle qui se poursuit aujourd'hui. «Je lui dois probablement la vie», dira-t-elle pour conclure.

À mon sens, l'idée du texte *Le funeste collier* est déjà incluse dans trois vers de *Chaque fois que le train passe*: « Elle y pense chaque fois qu'elle voit sa mère / Se ruiner la vie pour lui venir en aide / Alors qu'elle pourra jamais rien y faire. » C'est cet angle qui est utilisé dans cette deuxième chanson, celui de la mère qui réagit au suicide de son enfant, elle qui croyait lui avoir fourni tous les outils nécessaires pour vivre heureux. Face au geste de son enfant, elle se culpabilise, elle cherche des explications et elle remet même en question l'éducation qu'elle lui a donnée.

« Je t'ai donné la vie
Une vie si facile
Qu'à défaut de défis
T'es devenu fragile
J't'ai pas vu t'enfoncer
Dans ton grand nuage noir
J'étais trop occupée
À n'pas t'laisser pleuvoir
T'es parti en m'léguant
Ton affreux mal de vivre
T'es parti en m'donnant
Comme une envie d'te suivre
Mais si y'a réellement
Une vie après la mort
J'irai pas mon enfant
Te la pourrir encore
Alors j'vais t'regretter
Jusqu'au bout mon trésor
Et je vais respecter

Qu'tu t'sois donné la mort [...]

J'vais dire à tes amis
Qu't'es parti jouer dehors
Dans un autre pays
Où les jeunes rêvent encore
Où les choses ont un prix
Où les idées bouillonnent
Où les enfants chéris
Peuvent jeter leurs couronnes
J'vais leur dire à ta place
Que la vie est trop courte
Pour qu'en plus on l'écoute
Pour qu'on s'en débarrasse
Je t'ai donné la vie
Je t'ai roulé dans l'or
Je t'ai donné l'envie
De te donner la mort
Mais de ton paradis
Peux-tu m'aider mon ange
À vaincre les non-dits
À faire que le monde change[17] [...] »

Le funeste collier est une chanson de cent vingt-quatre vers très denses qui a été présentée pour la première fois aux dernières FrancoFolies. Je me demande si les auditeurs peuvent supporter une telle intensité à moins d'écouter d'une oreille distraire..

Lynda dit souvent qu'elle fait en scène les chansons dans lesquelles elle se sent à l'aise. Parfois, il lui arrive de retirer rapidement une chanson quand elle s'aperçoit qu'elle est mal comprise. Elle en prend alors toute la responsabilité, car elle juge qu'elle n'a pas réussi à faire passer clairement ce qu'elle ressentait. Ce fut le cas lorsqu'elle interpréta *La vache à lait*, chanson sarcastique remplie d'autodérision. Mais des spectateurs croyaient qu'elle s'adressait à eux. La chanson n'avait plus alors un double sens mais bien un triple sens qu'elle ne voulait pas. Lynda a senti un malaise dans le public. Alors, elle a renoncé à la présenter dans les autres concerts de sa tournée.

Je me demande quel sera l'avenir du texte *Le funeste collier*. N'empêche qu'il propose un angle neuf: celui du parent qui devient aussi victime du suicide. C'est une réflexion nécessaire sur le rôle de parent éducateur, mais aussi sur les valeurs et le style de vie que nous proposons à nos enfants.

En terminant ce chapitre, je vous livre une émotion qui me semble importante. C'est mon étonnement face à la provenance des commentaires sur la chanson *Chaque fois que le train passe*. La quasi-totalité des témoignages proviennent de jeunes filles de 16 à 21 ans qui toutes expriment sensiblement la même chose que la jeune Hélène. Et plusieurs affirment aussi qu'elles ont très peur de décevoir en ne satisfaisant pas toutes les attentes que les autres ont à leur égard. Elles ne se sentent pas comprises et elles estiment qu'on attend beaucoup trop d'elles.

Aujourd'hui, il est très tendance de classer les jeunes adolescents et les jeunes adultes en deux groupes très distincts: la jeune fille qui étudie bien, qui réussit bien et qui a un brillant avenir devant elle, et le jeune garçon brouillon qui trouve «poche» les études, qui n'aime pas la culture et qui n'aura pas les habiletés nécessaires afin de se tailler une place dans ce nouvel avenir qu'on ne peut même pas définir.

Comment en arrive-t-on à simplifier autant les attitudes et les comportements humains? La surévaluation et la dévalorisation conduisent nécessairement à des problèmes d'estime de soi.

8 La quête de l'amour

On donne de l'amour, mais on le recherche aussi.

Lynda Lemay a écrit beaucoup de chansons sur l'amour, mais peu de chansons d'amour. Dans son œuvre, les émotions et les sentiments amoureux sont très présents, mais ils ont de multiples facettes : l'amour de la vie, l'amour des siens, l'amour du travail, l'amour de la création, l'amour pour ses fans, l'amour des autres et, bien évidemment, l'amour de l'autre.

Dans cette relation particulière qu'est l'amour de l'autre, les personnages de ses chansons rêvent plutôt malheureux qu'heureux car ils oscillent sans cesse entre deux idées : l'amour qui dure et l'amour qui ne peut durer. La relation amoureuse dans un couple est-elle nécessairement illusoire et éphémère ? Si oui, alors l'amour rime avec la méfiance. « Méfiez-vous du grand amour [...] / Il vous guette en attendant le bon moment / Pour vous frapper dans le dos et pour longtemps », chante Michel Rivard.

Comme femme, je dirais que Lynda est une personne qui aime aimer. Je crois qu'elle ferait sienne cette phrase d'Albert Camus tirée du *Premier Homme*: « Je ne connais qu'un seul devoir, c'est d'aimer. » On retrouve la même idée dans la chanson de Raymond Lévesque, *Quand les hommes vivront d'amour*. Quand chacun assumera son devoir d'aimer, « il n'y aura plus de misère ». Ici, misère doit être pris dans un sens large, soit celui de la misère humaine proche de la souffrance et non uniquement celle qui est matérielle. Alors la générosité prend un sens nouveau.

De tout temps, les philosophes, les créateurs et même les scientifiques ont cherché à comprendre ce qu'est l'amour dans ses diverses manifestations: le rêve, le désir, la convoitise, la passion, l'attachement, la générosité, la bienséance, le respect, l'engagement...

Universellement, il semble que l'amour et le bonheur soient les deux aspirations les plus fondamentales: aimer le bonheur et le bonheur d'aimer. Mais qui dit aspiration dit également action afin d'y arriver.

Dans la société actuelle, où les valeurs d'individualisme et d'égotisme priment sur les valeurs de partage et de solidarité, il n'est pas étonnant que la vie de couple soit éphémère. Ces deux premières valeurs sont étrangères à une vie de couple durable et engagée.

Dans ses chansons, Lynda affirme qu'il existe un abîme entre « espérer aimer et aimer ». Selon moi, la quête de l'amour consiste à bâtir un pont ou un passage permettant de franchir cet abîme. Mais il faut aussi être deux pour le franchir. Et c'est plus facile quand on a des valeurs communes, qu'il ne faut pas confondre avec des intérêts ou des goûts communs.

Depuis quelques décennies, les études démontrent qu'on se résigne à l'idée que l'amour ne dure qu'un temps. Défaitisme ou lucidité? Probablement un peu des deux selon les cas et les événements. Mais une chose est certaine: au fur et à mesure des expériences négatives qu'il vit, chacun croit de moins en moins à l'amour durable.

Dans un texte inédit de décembre 1993, *Quand c'est trop beau*, Lynda écrit que l'amour finit par faire rimer bonheur et peur, qu'on finit par ne plus rien dire de crainte que cela se termine, et que finalement l'amour, c'est comme une chanson trop belle dont on se souvient alors toute la vie comme d'une grande blessure. Dans un autre texte de la même époque, *Gages-tu*, Lynda pose encore une fois le problème, je dirais même l'angoisse, de la durée : « Gages-tu qu'ça va finir / Comme ça finit tout l'temps / Gages-tu qu'on va s'les dire / Nos discours désolants. »

J'ai eu, sur les difficultés de l'amour, beaucoup de commentaires qui gravitaient essentiellement autour de l'idée qu'on espère que l'amour durera longtemps mais qu'on ne se fait pas trop d'illusions. En voici deux qui résument assez justement tous les autres : « Si j'avais la chance de rencontrer une femme pour toujours, je n'hésiterais pas à m'engager. Mais je suis plus lucide que cela. Si j'en arrive à vivre quelques belles années avec la même personne, je serai très heureux », me communique Nicolas, de Brest, tandis que Mélanie, de Nice, me rappelle que « les exigences envers l'autre sont tellement élevées aujourd'hui qu'on élimine quasiment la possibilité de réussir sa vie de couple ».

J'ai relancé Mélanie pour discuter avec elle de cette perception de la vie à deux. Elle et son conjoint Thierry m'ont envoyé plusieurs messages que je résume ainsi :

« Nous n'avons jamais assisté à un concert de Lynda. Nous avons cependant acheté plusieurs de ses CD que nous écoutons souvent ensemble, carnet en mains. Notre chanson préférée est *Montre-moi*. Même si elle date de 1994, elle est peu connue mais elle correspond à notre idée du cheminement qu'on doit faire en amour. Il n'y a ni connaissance de l'autre ni confiance en l'autre ni respect envers l'autre sans dévoilement. Sans cela, chacun vit avec un autre qu'il idéalise et qui ne correspond pas à la réalité. Comme elle le dit dans son texte, on ne voit souvent de l'autre que le côté qu'on veut bien voir. Ce n'est pas cela aimer quelqu'un pour vrai.

« Qu'avons-nous fait? Rien de bien original, mais cela a été signifiant et efficace pour nous. Étant deux professeurs de lycée, nous avons agi simplement en profs. On s'est imposé des exercices mensuels en séparant en treize sections le texte de Lynda. Un peu comme dans certains cafés philosophiques de la région, le thème du mois suivant était pigé au hasard parmi les treize sections et ensuite nous préparions conjointement une affiche à installer, à la maison, dans notre bureau commun. Avant la soirée de conversation sur le thème du mois, chacun avait la responsabilité de se préparer d'une manière originale. Vous ne pouvez pas savoir le plaisir qu'on a eu ensemble, mais aussi des liens nouveaux se sont tissés entre nous, des liens menant à une grande complicité. Nous dirions que se dévoiler ainsi est quasiment un strip-tease de l'âme. Maintenant, nous avons le sentiment que nous construisons notre amour sur des bases de vérité, et non pas d'apparence. Nous avons l'intention de reprendre le même jeu dans quelques années afin de saisir de nouvelles voies de cheminement. »

« J'vois qu'le côté de toi qui rit
Montre-moi le côté qui pleure
Montre-le-moi, je t'en supplie
C'est trop fragile ce bonheur [...]

J'vois qu'le côté de toi qui gagne
Montre-moi le côté perdant
Montre-moi ta honte et ta hargne
Et tes plus vilains sentiments[18] »

À mon avis, *J'veux bien t'aimer* est la première véritable chanson d'amour de Lynda Lemay. Elle date de septembre 2001. Dès la première fois que je l'ai entendue, j'ai eu l'intuition qu'elle deviendrait un classique autant à cause du propos simple et touchant que de la mélodie.

Essentiellement, il s'agit d'une chanson sur un amour naissant mais qui, déjà, se vit dans un contexte singulier: « J'veux bien t'aimer / Mais comment est-ce / Que j'peux t'aimer / Si j'suis pas là [...] Oui je veux bien / T'aimer de loin / Le cœur plein / De ton grand vide. » L'amoureuse s'adresse à son amoureux en lui manifestant ses craintes face à cet amour qui se vivra souvent à distance « dans cet effrayant labyrinthe trop compliqué et trop tordu ».

J'veux bien t'aimer est une chanson volontariste parce qu'elle est habitée par l'idée fondamentale selon laquelle l'amour peut être un choix que la personne assumera avec constance et acharnement. Mais le mot « bien » a aussi un autre sens: l'amoureuse déclare qu'elle fera tout pour vivre un amour de qualité, malgré les inconvénients de la situation.

« Au lieu d'aller vers la défaite, nous pouvons aller vers le soleil », nous dit la romancière Alice Ferney, qui a beaucoup écrit sur les relations amoureuses.

Alors, l'amour est réjouissant, parce qu'il n'y a rien de plus beau et de plus puissant que d'apprendre à aimer ensemble.

«CHANSONS»

9 Les problèmes et les dilemmes d'aujourd'hui

J'ai déjà mentionné que, dans ses cahiers noirs, Lynda tient une chronique ininterrompue sur la vie et sur sa vie. Les problèmes et les dilemmes contemporains attirent évidemment son attention et ils deviennent quelquefois des thèmes qui inspirent sa création. Depuis quelques années, elle a abordé des thèmes divers : le sida, la solitude, le suicide, l'exclusion des personnes âgées, la famille brisée, l'adoption d'un enfant par un couple d'homosexuels, la violence faite aux femmes et aux enfants, l'euthanasie, l'avortement, la dictature des apparences… Certains diront qu'elle ne peut pas être experte dans tous ces domaines. C'est vrai. Mais son travail s'effectue sur un autre plan. En ce qui concerne certains thèmes que je qualifierais de plus moraux, elle réagit aux problèmes et aux dilemmes qui en découlent par une réflexion sur les différentes attitudes qu'on peut avoir face à ceux-ci. Évidemment, cette façon de procéder permet de faire appel à une vaste palette d'émotions et de sentiments. Je classerais ces chansons dans la catégorie

« phénomènes sociaux », mais ayant de fortes incidences sur la réflexion personnelle de chacun.

Quelles sont les chansons qui suscitent le plus de réactions dans ce contexte ? *Paul-Émile a des fleurs*, *Ailleurs*, *On m'a fait la haine* et *Une place au sous-sol* sont parmi les chansons les plus commentées. Sans oublier *Chaque fois que le train passe*, que j'ai déjà présentée. Fidèle à son habitude, Lynda n'est pas tiède dans son propos sur ces problèmes sociaux.

Dans la liste précédente, la chanson *Ailleurs* est la seule qui présente des aspects autobiographiques évidents.

Les dilemmes de la vie

Dans *Paul-Émile a des fleurs*, par exemple, Lynda joue sur deux gammes d'émotions. Dans cette chanson, le personnage est tiraillé par deux désirs opposés : celui de retenir sa mère en s'acharnant afin de la maintenir en vie et celui de la libérer de cette vie qui ne lui apporte plus rien. On sent nettement que la personne n'arrive pas à trancher, donc à faire un choix. C'est un phénomène qu'on rencontre très souvent dans la vie. Dans *Paul-Émile a des fleurs*, on sent que des valeurs de compassion et de respect de l'autre habitent les émotions, mais qu'elles ne sont pas suffisantes pour décider.

> « Laissez-la donc tranquille
> Laissez-la donc rêver
> Elle rêve à Paul-Émile
> J'en suis persuadée
> [...]
> N'la laissez pas tranquille
> N'la laissez pas s'éteindre

Comme j'connais Paul-Émile
Il va aller la r'joindre[19] »

En écoutant la chanson, l'auditeur est placé devant le même dilemme puisque Lynda ne tranche pas. Que ferait-il dans la même situation ? A-t-il une expérience personnelle du même dilemme ? Quelles sont les valeurs qui peuvent guider la prise de décision ? Quelles sont les convictions qui aident à faire face au dilemme ?

Qu'est-ce qu'un dilemme ? Il y a dilemme quand il y a obligation de choisir entre deux solutions contradictoires ou contraires afin d'intervenir dans une situation ou afin de résoudre un problème. Qu'est-ce qu'un dilemme axiologique ? C'est un dilemme qui remet en cause les valeurs et les convictions qui nous inspirent profondément. Il y a ce type de dilemme quand la personne doit choisir entre ce qui vaut pour elle et la contre-valeur. Par exemple, la personne peut avoir la conviction qu'on ne doit pas, sous aucun prétexte, mettre fin à sa vie ou à celle d'un autre, mais à un moment donné, elle doit décider pour une autre personne. Quelles sont les valeurs qui priment alors dans la prise de décision? Les siennes ou celles de l'autre ?

Tous les dilemmes créent des tensions et dans certains cas des impasses. Est-on vraiment assuré qu'on prend la bonne décision, surtout quand elle touche directement une autre personne ?

Évidemment, certains dilemmes sont plus faciles à résoudre que d'autres, mais dans tous les cas choisir *a* ou *b* entraîne nécessairement des conséquences positives et des conséquences négatives. Et ne pas choisir entraîne d'autres conséquences. Que faire quand on ne sait plus quoi faire, quand on ne peut pas choisir selon ses convictions, quand le dilemme ne peut pas se résoudre dans la cohérence et dans l'harmonie ? On applique habituellement la règle du moindre mal tout en sachant qu'elle ne solutionne pas tout. Qu'est-ce que la règle du moindre mal? C'est celle qui permet de provoquer délibérément la plus petite catastrophe « parce qu'en agissant autrement on serait complice d'un mal plus grand», comme le mentionne le philosophe Denis Jeffrey, qui ajoute qu'on pose alors « un acte que l'on réprouve, mais pouvant être salvateur ». Mais j'ajoute que la règle du moindre mal appliquée trop souvent conduit à de flagrantes incohérences[20].

« L'écoute de *Paul-Émile a des fleurs* me confirme que je devrai faire face à ce dilemme bientôt puisque mon père de 76 ans est dans un état semi-végétatif depuis plusieurs mois. Je ne sais pas comment cela se passe au Canada, mais ici je suis autorisé à prendre des décisions à la place de mon père qui ne le peut plus. Je suis son seul fils. De plus, ma mère et ma sœur sont décédées depuis plusieurs années. Pour le moment, mes convictions religieuses m'empêchent de faire face objectivement à ce dilemme. Vous savez, il n'y a pas de religion sans espoir d'un monde meilleur dans l'au-delà. Mais en même temps, je crois qu'on ne peut pas décréter la fin de la vie de quelqu'un, encore moins d'un être aimé. Je sais bien que c'est un vieux débat qui n'est pas toujours rationnel, mais je le vis dans ma conscience. Mon sentiment personnel me confirme que mon père serait mieux ailleurs. Quand les journées sont grises dans mon esprit, je me dis que les convictions sont bien embêtantes puisqu'elles restreignent les possibilités. Mais en même temps, je sais qu'on ne peut pas bien vivre sans convictions.

« J'apprécie toujours les chansons de Lynda Lemay puisqu'elles me font souvent voir la vie dans de nouvelles dimensions. Elle est une artiste sensible qui a une capacité de s'émouvoir et d'émouvoir. Cependant, je dois vous dire que *Paul-Émile a des fleurs* me présente crûment le dilemme, mais ne me propose pas de voies nouvelles de réflexion. Dans mes échanges avec vous, j'ai compris que chacun est toujours seul face à une telle situation. En disant aux autres quoi faire, on leur impose alors une certaine morale. Choisir de ne pas choisir est-il une décision valable ? ou de la fuite ? J'aurai solutionné mon dilemme quand je répondrai à ces questions. Merci. Je vous rappelle que j'autorise la publication d'un résumé de mon témoignage pour autant qu'il demeure totalement anonyme. »

La famille éclatée

Ailleurs est une chanson qui colle à l'expérience personnelle de Lynda et à une situation très contemporaine. La multiplication des séparations et des divorces a amené deux problèmes propres à cette situation : celui du déséquilibre provoqué par une rupture et celui de la garde des enfants. Aucune classe sociale n'est exempte de ces problèmes et de leurs répercussions. Je ne vous apprendrai rien en vous disant que Lynda est particulièrement sensible à cette situation puisqu'elle l'a elle-même vécue sous les feux de la rampe, ce qui doit singulièrement compliquer les choses dans ces moments de grande fragilité.

> « J'voulais pas t'donner une vie comme ça [...]
> Ailleurs, et j'peux pas te retenir
> D'ailleurs je n'ai rien de mieux à t'offrir
> Qu'une berceuse un soir en personne
> Et l'autre soir au téléphone
> Qu'une chambre qui change de couleur
> De dimanche en dimanche.[21] »

Je retiens deux témoignages :

« Pour moi, ces vers sont particulièrement touchants. Ils parlent évidemment des difficultés de la garde partagée. Ils traduisent bien l'idée qu'on croit ne pas avoir réussi à leur donner la famille dont ils ont besoin. Il y a aussi le sentiment d'être séparé de ses enfants la moitié de sa vie, de ne pas être présente et disponible pour les joies, les petits bobos du corps et les gros bobos du cœur de nos enfants. Bien sûr, une certaine autosuggestion peut apaiser cette déchirure et permettre de tolérer la situation en se disant que les enfants ont besoin de voir leurs deux parents qui sont encore capables de discuter ensemble. [...] Mais c'est si difficile de vivre loin d'eux parce que mes enfants, je les ai toujours en tête, toujours dans mon cœur et dans la peau.» Geneviève, de Montebello.

«Où vais-je avec mes deux enfants, une fille et un garçon? C'est ma grande question depuis que je suis séparé d'Évelyne. Je voudrais tellement qu'ils aient, malgré notre échec, une belle vision de ce qu'est l'amour. On a beau affirmer qu'on tiendra nos enfants éloignés de nos divergences, il faut bien accepter qu'une rupture cause avant tout une perte d'équilibre. On m'avait dit que les enfants gardaient toujours l'espoir de voir leurs parents se réconcilier. Après plus de cinq années de séparation, je sais maintenant que c'est vrai. Ils ne l'expriment pas toujours directement, mais on le sent dans leurs réactions, dans leurs questions et dans leurs propositions. Que cherchent-ils? Je n'arrive pas à le comprendre et ils n'arrivent pas à l'exprimer clairement. [...]

«Mais je sais que je ne souhaite pas que mes enfants apprennent l'amour en éclats comme le chante si bien Lynda Lemay. Évelyne et moi, nous ne pourrons jamais revenir en arrière, même si c'était pour le plus grand bien des enfants. Ils le savent parce que nous avons été clairs avec eux. Alors maintenant, je mets tous mes efforts dans la réussite de mon couple actuel. Je pourrais me remettre d'une nouvelle rupture, mais je ne serais pas capable de supporter la déception que je lirais dans les yeux de mes enfants. C'est comme ça, pour le moment.» Alain-Pierre, de Lyon.

La violence

J'ai battu ma fille et *On m'a fait la haine* présentent toutes deux des formes différentes de violence. Dans un cas, une violence parentale et dans l'autre, l'expérience du viol.

Je constate qu'on a une certaine retenue quand on s'exprime sur sa propre violence. On en a aussi une quand il s'agit de la violence qu'on a subie. Pour *J'ai battu ma fille*, les témoignages sont nombreux, mais ils vont tous dans le même sens : une personne écoute la chanson et elle sent spontanément monter en elle un sentiment de culpabilité. Pourquoi ? Parce que cela lui rappelle qu'elle a déjà eu le même geste à l'égard de son enfant. Cette chanson éveille donc un mauvais souvenir qui est souvent assez douloureux.

On m'a fait la haine suscite aussi beaucoup de commentaires, mais ils sont tous, comme pour la chanson précédente, dans un même sens, mais différent du précédent : « J'ai vécu une expérience semblable, mais j'en parle encore difficilement même après plusieurs années. »

Sauf un qui ouvre de nouvelles pistes de réflexion :

« Dans ce texte, Lynda décrit bien les sentiments qui animent une personne ayant subi un viol. Ayant moi-même été agressée, je pense que le violeur croit vraiment qu'il a fait l'amour à une femme, alors que celle-ci dira qu'on l'a salie, qu'on ne l'a pas respectée dans son refus et qu'on lui a fait la haine. Je suis maintenant convaincue qu'un violeur ressent peu de culpabilité puisqu'il a la conviction qu'il a satisfait ses pulsions naturelles et je pense même qu'il croit avoir aidé cette femme. En retour, la femme qui a été violée a des sentiments de culpabilité, de peur et d'insécurité qui l'empêcheront pendant longtemps d'avoir des relations sexuelles agréables, même avec son propre amoureux. Rien de neuf dans ces propos, me direz-vous. Il est devenu tellement banal de dire tout cela qu'on ne sent plus que le message passe ou que les choses vont changer. Cela me révolte tout autant que le viol lui-même.» Clara, de la région de Montréal.

L'absence de magnanimité

La magnanimité est une valeur très humaniste, même si elle est plus une préférence qu'une référence dans la société actuelle. «Y aurait eu tant de place ici / Mais je lui ai fermé ma porte.» Une place au sous-sol décrit le refus d'accueillir chez soi une personne âgée que l'on place plutôt dans un centre d'hébergement.

J'ai reçu à propos de cette chanson plusieurs commentaires qui se regroupent tous autour de l'idée suivante: «J'aurais pu accueillir une personne âgée de la famille chez moi et je ne l'ai pas fait pour toutes sortes de raisons que je juge valables. Mais j'ai toujours un petit doute qui subsiste quant à la pertinence de ma décision. Je ne pense pas avoir une grandeur d'âme et une générosité suffisantes. De plus, je suis déjà trop accaparé par mes problèmes et par les exigences de la vie d'aujourd'hui.»

Mais ce texte pose un problème beaucoup plus vaste qu'on ne le pense. Quels seront les effets sur la vie personnelle et collective du vieillissement de la population? Existe-t-il des solutions respectueuses des uns et des autres? Et surtout avons-nous la volonté d'agir avant qu'il soit trop tard?

Un sentiment d'impuissance

Dans les quelques chansons de Lynda Lemay qui traitent des grands problèmes d'aujourd'hui, on a l'impression d'un sentiment d'impuissance devant une telle complexité. Cela correspond bien à l'air du temps. Comme créatrice, Lynda nous place devant la réalité, telle qu'elle la perçoit et telle qu'elle la ressent à une époque donnée.

C'est son rôle. En cela, l'œuvre est utile puisqu'elle agit comme révélateur. Elle nous renvoie à nous-mêmes.

Sans vouloir faire de généralisations abusives, je remarque que ce sentiment d'impuissance se traduit par plusieurs attitudes présentes dans la société d'aujourd'hui.

Quelques illustrations :

On aimerait mieux choisir de ne pas choisir quand on est placé face à un dilemme important. Ne pas choisir, c'est accepter que les autres ou le temps le fassent à notre place, donc c'est accepter une perte d'autonomie et de liberté.

On ne sait plus quoi faire face à la violence, alors on la banalise jusqu'à en arriver à croire que la non-violence est de l'angélisme.

On sait que l'individualisme mène le monde, alors on fait sienne cette valeur afin de se protéger et demeurer compétitif. On ne se rend même pas compte que ces valeurs influent sur nos attitudes et sur nos comportements quotidiens.

On nous incite aussi, chaque jour, à nous fondre, dans les valeurs dominantes de la société d'aujourd'hui, à nous y adapter sans questionner. Ainsi les valeurs de productivité, de compétitivité, de rentabilité, de rivalité et de suprématie deviennent les nouveaux repères de la vie.

Tout cela tue l'espoir de changement. Tout cela tue le rêve d'une société meilleure

10 Le temps qui passe

Lynda Lemay est née le 25 juillet 1966 à Portneuf, une petite ville d'environ 2000 habitants située sur la rive nord du fleuve Saint-Laurent entre Trois-Rivières et Québec. Papa Alphonse est dessinateur et maman Jeannine est mère au foyer. Le couple aura trois enfants: France, Lynda et Diane. Lynda est une enfant timide et réservée. À l'âge de neuf ans, elle compose sa première chanson, *Papa es-tu là?*. À l'adolescence, elle continue d'écrire et elle apprend la guitare. À 18 ans, elle remporte le concours Québec en chansons. Elle entreprend des études de lettres tout en se produisant dans de petits spectacles.

En octobre 1989, Lynda Lemay est lauréate du prix d'auteur-compositeur-interprète décerné par le Festival international de la chanson de Granby. Même si elle écrit depuis plusieurs années, ce prix lui confirme qu'elle a probablement une place dans le milieu de la création et du spectacle. Évidemment, ce prix a changé sa vie, alors qu'elle venait de terminer un cours de secrétariat bilingue.

À 23 ans, donc, Lynda gagne ce prix, notamment, avec la chanson *La veilleuse*, un texte sur une femme qui se trouve à la fin de sa vie, mais qu'une petite flamme habite toujours, laquelle lui permet, se dit-elle « de trouver au fond de mes vieilles chansons le feu qui les a fait naître ».

Personnellement, je pense que *La veilleuse* est l'un des plus beaux textes de Lynda. Il me touche pour plusieurs raisons, probablement liées à mon travail d'auteur mais aussi à ma conception de la vie me poussant à entretenir sans cesse « cette petite flamme » qui fait qu'on cherche toujours à progresser, malgré les doutes et les fatigues.

En 1990, elle lançait son premier album, *Nos rêves*, qui inclut *La veilleuse*. Les quelques lignes qui suivent montrent bien la joie d'écrire de Lynda.

« Sais-tu que je chantais souvent, avant
Que je mettais des mots sur chaque sentiment
Sais-tu combien je m'amusais, avant
Sur des mélodies qui me venaient d'en dedans[22] »

Ce texte est annonciateur d'une préoccupation majeure dans son œuvre et aussi dans sa vie personnelle : le temps qui passe, le temps qui souvent « défait nos rêves », le temps qui fait renaître l'espoir et le temps qui mène inévitablement au vieillissement.

« On a beau vieillir du mieux qu'on peut
On peut pas vieillir sans devenir vieux
Vieillir sans mourir à petit feu
Et sans jamais maudire le Bon Dieu[23] »

Plusieurs chansons de Lynda sont des bilans de vie. *La veilleuse* et *La centenaire* vont dans cette direction. Dans ce dernier texte, une centenaire fait un retour sur sa vie, mais en même temps elle nous explique tous les changements qu'elle a vécus tout au long de son existence. Un texte qui fait appel à l'émotion, mais aussi au rappel des détails de toute une vie.

« Ça fait cent longs hivers que j'use le même corps. J'ai eu cent ans hier mais qu'est-ce qu'elle fait la mort. »

C'est le type de chanson qui touche beaucoup les fans de Lynda ; les sondages menés sur différents sites web qui lui sont consacrés indiquent en effet qu'elle est la préférée parmi toutes les chansons de l'album *Les lettres rouges* édité en avril 2002.

Écrite en janvier 2001, Lynda m'a remis le texte *La centenaire* au mois de juin suivant. Dès lors, j'ai pu le proposer à quelques personnes appartenant à un groupe de discussion. Je retiens ici quelques réactions des participants puisées dans les différents échanges sur le temps qui passe et sur l'attente de la mort.

« Dans *La centenaire*, la mort se présente comme une délivrance. En soi, cela n'est pas étonnant pour une personne qui souffre à cause d'une maladie. Ou encore pour une personne qui n'a plus aucune qualité de vie. Mais cette centenaire est lucide et semble en bonne santé. À l'écouter, on a l'impression que sa lassitude devient intolérable. »

« Dans ce texte imagé, j'ai revu tous les principaux événements et les changements les plus marquants du siècle dernier : de la Première Guerre à l'avènement d'Internet. J'ai revu aussi des époques : celles des guerres, des années folles, des dépressions et des crises économiques, des grands bouleversements technologiques, des grands changements de mentalité… On fait un tour du siècle. Évidemment cela n'est pas fait en profondeur, mais cela démontre l'esprit de synthèse de Lynda. »

« J'ai pris conscience que des personnes d'un grand âge sont des survivantes puisque, souvent, elles ont enterré leurs amis, leur mari ou leur épouse et même leurs propres enfants. Certaines ont même assisté à l'enterrement de leurs petits-enfants. La centenaire dit : " J'ai tellement porté d'deuils qu'j'en ai les idées noires." Je n'ose pas m'imaginer la charge émotive que cela représente pour elles. »

Pour la centenaire de Lynda Lemay, c'est comme si « l'Éternel l'avait rayée d'sa liste ».

Dieu est-il présent ?

« Moi, j'ai fait le choix que Dieu existe, du moins je l'espère, alors que d'autres font le choix qu'il n'existe pas. »

« Je fais aussi le choix de ne pas me poser de questions auxquelles je ne pourrai jamais trouver de réponses. »

Ces déclarations de Lynda Lemay sont importantes puisqu'elles permettent de mieux comprendre sa conception même de la vie. Les grandes discussions philosophiques sur l'existence de Dieu et autres sujets dérivés ne sont pas sa tasse de thé, comme on dit souvent. Vous ne la rencontrerez pas dans un café philosophique discutant des grands questions existentielles d'aujourd'hui. Je parie qu'elle ne gâcherait pas un bon repas bien arrosé, avec ce genre de discussions sans issue.

Pourtant, son écriture est réflexive et anticipative. Elle sait être grave ou légère selon l'angle qu'elle utilise pour traiter d'un thème ou d'un sujet.

De mes rencontres avec elle, je retiens qu'elle est une personne qui apprend beaucoup dans les conversations, qu'elle n'apprécie pas les discussions théoriques, et qu'elle ne les recherche pas, et qu'elle est attentive au récit des expériences vécues par les autres.

Pour la décrire, je dirais qu'elle est une archéologue des détails.

J'y reviendrai.

Plusieurs de ses chansons datées d'avant 1995 rappellent qu'elle est issue de la culture judéo-chrétienne, tradition qui a tant marqué le Québec. Quoique non dominante aujourd'hui, et même marginale dans certains milieux, cette tradition est loin d'être disparue et ses valeurs continuent à inspirer le quotidien de personnes de différentes générations.

Ceci étant dit, il ne faut pas croire que Lynda a une pratique religieuse correspondant aux exigences de cette religion. Oui, elle fait quelquefois appel à Dieu dans sa vie personnelle comme dans certaines chansons, mais « le plus souvent, je mets ma mère là-dessus », me mentionne-t-elle dans un éclat de rire en ajoutant que celle-ci est bien bonne, bien meilleure qu'elle-même quand il s'agit de s'adresser à Dieu.

La chanson *Veille sur moi* exprime bien cette position à l'égard de la religion et de l'existence de Dieu. Ce texte existe en deux versions : la longue qui n'a jamais été enregistrée et la courte adaptée par Lynda sur une musique de France D'Amour, qui l'a d'ailleurs interprétée par la suite. Les deux versions tournent autour de la même ambivalence : ne pas croire en Dieu ou ne pas y avoir cru un jour et, en même temps, sentir la nécessité d'être protégé par lui. « Me tiendra-t-il rancune de n'avoir pas toujours cru en son existence et en sa toute-puissance ? » semble dire le personnage de cette chanson.

« J'ai toujours traité de fous
Ceux qui se mettent à genoux
Et qui sont convaincus
Qu'ils seront entendus
Mais veille sur moi
Veille sur moi[24] »

Tout a une fin

On sait tous que le temps qui passe est irréversible. Il nous conduit tous vers le même événement. Qu'on croie en Dieu ou non, qu'on questionne le sens de l'existence ou non, qu'on ait fait le bien ou le mal, cela ne change rien à l'événement lui-même. On devra y faire face un jour.

« Mourir dans un petit moment d'inattention.[25] » Lynda exprime probablement ici le rêve de tout le monde. Cependant, chacun sait que tous les scénarios sont possibles et totalement imprévisibles.

« S'il n'y avait rien que ça
Et si tout s'arrêtait là
Après tout que voudrait-on
Sinon d'avoir été bon... ![26] »

La chanson *C'est comme ça* développe l'idée que le temps passe et que tout a une fin. Relativement court, ce texte convie à une double interprétation, une restrictive et une autre plus ouverte.

Le titre lui-même, *C'est comme ça*, a une connotation assez fataliste. Certes, la mort n'est pas un choix puisqu'elle doit arriver et qu'elle va arriver, selon la définition même du fatalisme. C'est la dimension plus restrictive. À l'écoute ou à la lecture, on se rend compte que ce texte peut s'appliquer à tous les types de deuil, depuis le deuil provoqué par la mort jusqu'à celui qui est provoqué par une rupture ou une remise en question de sa vie. C'est la dimension plus ouverte.

Plusieurs fans de Lynda m'ont mentionné qu'ils avaient utilisé cette chanson au cours d'une cérémonie funéraire afin de rendre hommage à un proche parent. Ils y trouvent réconfort et espoir.

« Au bout du chemin, y'a mes souvenirs
Y'a un jardin à entretenir
C'est d'autres doigts qu'les miens
Qui feront les choses
Je serai pas là pour voir s'ouvrir les roses [...]
Et on recommence
On recommence
C'pas vrai qu'on meurt[27] »

« *C'est comme ça* est une chanson que ma mère écoutait dans les derniers mois de sa vie. Quelquefois, elle la faisait jouer en boucle durant plus d'une heure. Évidemment, elle la connaissait par cœur. Elle me disait qu'elle aimait ce texte parce que cela lui permettait d'apprivoiser sa nouvelle vie. Je me souviens que sa voix se raffermissait quand elle chantait en chœur avec Lynda qu'on laisse derrière ce qu'on a de plus cher et qu'on recommence ailleurs. J'avais le sentiment qu'elle affirmait son espoir d'un renouvellement ou d'un recommencement. Mais peu importe, puisque cette chanson lui faisait du bien.

« Elle savait depuis un certain temps que ses jours étaient comptés. La colère du début avait été remplacée par une certaine sérénité. Ma mère se confiait facilement. Elle n'avait pas de difficulté à parler de ses états d'âme. Il est probable que cette attitude a été saine pour elle et qu'elle a été rassurante pour nous. À la fin de la cérémonie, nous avons fait jouer cette chanson pendant que nous sortions de l'église.

« Quelquefois, avec mes sœurs et frères, mais le plus souvent seule, je prends plaisir à imaginer la nouvelle vie de ma mère. Je la retrouve dans un immense jardin de roses de toutes les couleurs et de toutes les sortes. Elle porte sa robe de mariage qu'elle avait lorsqu'elle a épousé papa. Elle me semble toute jeune. Elle peint une rose de tout ce jardin… » Mylène, de Québec.

Ce livre, *Les cahiers noirs de Lynda Lemay*, a été imprimé au début de la deuxième semaine d'octobre 2002. Pourquoi ce lien, me direz-vous ?

Pour moi, il est important, puisqu'il constitue l'une des trois raisons pour lesquelles je ressentais profondément la nécessité d'écrire ce livre comme je vous l'ai signalé dès les premières lignes de celui-ci.

Mon père est décédé le vendredi 6 octobre 2000, à l'âge de 79 ans, d'une courte mais pénible maladie. C'est un événement difficile quand on a toujours cru que son père était invincible, voire éternel. C'est irrationnel, me direz-vous. Vous avez raison, mais qui n'a jamais pensé cela ?

Le samedi soir, j'ai commencé à mettre sur papier des notes pour lui rendre hommage au cours d'une brève cérémonie prévue pour le lundi suivant au centre funéraire puisque mon père avait demandé qu'il n'y ait pas de cérémonie à l'église. Nous avons respecté ce choix.

Mon hommage regroupait des événements heureux, des anecdotes familiales et une description des valeurs qui avaient inspiré mon père tout au long de sa vie.

À mi-chemin de mon témoignage, juste avant de parler des valeurs de mon père, ébranlé par l'émotion, j'ai dû faire une courte pause pendant laquelle, je ne sais pas pourquoi, cette courte phrase de la chanson *C'est comme ça* m'est revenue en tête : « C'pas vrai qu'on meurt, c'pas vrai qu'on meurt, c'pas vrai qu'on meurt, c'pas vrai qu'on meurt… »

Cette phrase m'a apaisé et j'ai pu reprendre mon propos avec un certain équilibre.

Au cours des semaines suivantes, j'ai souvent repensé à cet événement que je cherchais à situer dans ma démarche et dans ma conception de la vie et de la mort. Et j'ai beaucoup pensé à l'influence que les créateurs peuvent avoir sur les autres, sans nécessairement le désirer.

Au début du mois de novembre 2000, j'ai fait une première démarche auprès de Lynda Lemay pour lui expliquer mon projet de livre sur son œuvre et sur les valeurs qui l'habitent, sans cependant lui confier ce fait. Comme vous, elle l'apprend en lisant ce texte.

« C'pas vrai qu'on meurt » quand on crée, parce cela a des effets imprévisibles sur sa propre vie et sur celles des autres.

Toute création laisse des empreintes. J'en ai la conviction profonde.

11 La légèreté

Dans ses chansons éditées tout comme dans ses spectacles, Lynda Lemay équilibre les textes graves et les textes légers. Par son contenu, chaque chanson se situe sur une grille allant de « très légère » à « très grave ». J'ai expliqué dans le chapitre septième que *Le funeste collier* est un texte très grave, tandis que *Macédoine* est une chanson très légère. Le contraste me semble évident.

> « Mon père est un filet
> Tout tendre et tout mignon
> Ma mère est un navet
> Elle plaît pas à tout l'monde [...]
> Ou regarde mon petit cousin
> Ça s'vante d'être du persil
> Ça s'assoit sur son steak
> Pour le restant d'sa vie[28] »

Je n'ai pas obtenu de commentaires sur la chanson *Macédoine* ni sur d'autres chansons dites très légères. Celles-ci peuvent faire sourire, mais elles ne suscitent pas de résonance chez l'auditeur. Par contre, des textes comme *Les souliers verts* ou *La visite* ou *La marmaille* sont mi-graves mi-légers. Déjà, les réactions se multiplient.

Dans le présent chapitre, j'exclus de mon analyse les chansons comme *Macédoine.* Elles ne sont pas nombreuses dans la production de Lynda, mais elles existent et la chanteuse en insère quelquefois dans ses spectacles. Il me semble bien évident que je n'aurais pas produit ce livre sur son œuvre si la majeure partie de ses textes étaient de cette catégorie. Curieusement, ceux qui la décrient utilisent souvent uniquement des extraits de ce type de chansons pour expliquer qu'ils trouvent sa création sans valeur.

Comment classer les chansons dites humoristiques de Lynda?

Il y a la chanson présentant un problème social (famille et enfants, l'intrusion ou la fidélité), mais avec un certain humour. Exemples: *La marmaille, La visite* et *Les souliers verts.* Je n'y reviendrai pas puisque qu'elles sont abordées dans d'autres chapitres.

Il y a la chanson écrite à partir d'un petit problème dont on peut rire volontiers, mais qui peut prendre des dimensions importantes avec le temps. Exemples: *Alphonse, Bande de dégonflés* et *Bande de dégonflantes.*

Alphonse exprime le sentiment de détresse qu'on peut éprouver quand on a un prénom insignifiant:

« J'm'appelle Alphonse, c'est mon prénom
C'est mon problème, faut que j'm'adapte
Mais je vous jure qu'une vie c'est long
Affublé d'un tel handicap

Je n'ai pas eu de fils encore
Mais s'il faut que Dieu m'en donne un
Je l'appellerai Alphonse junior
Juste pour me venger sur quelqu'un[29] »

Heureusement qu'Alphonse, le père de Lynda, n'a eu que des filles. Une chance aussi qu'il n'ait pas songé à appeler l'un de ses trois filles, Alphonsine.

Les problèmes érectiles de l'homme dans ses relations sexuelles avec la femme. Le point de vue de cette dernière :

« On aura beau dire tout ce qu'on voudra…
Oui, c'est un drame déplorable
C'pas la fin du monde, mais n'empêche
C'est certainement désagréable
Quand c'est mou comme un ver à pêche
Quand ça veut jouer les timides[30] »

La réponse qu'un homme pourrait faire à sa partenaire :

« Alors parlons-en donc
De ce qui me pend là
Qui bouge pas d'un frisson
Quand tu t'approches de moi
Bien sûr qu'ça n'atteint pas
Les sommets d'autrefois
Ça fait comme les seins nus
Ça pointe vers le bas[31] »

Il y a la chanson à double sens. Exemples: *Drôle de mine* et *J'veux pas d'chien.* Confusion entre la mine d'un homme et la pointe d'un crayon; confusion entre l'animal domestique et l'homme de la maison.

Et il y a la chanson qui caricature en règle générale un certain type de personnes. Exemples: *Crétin, Gros colons* et *Les maudits Français.*

> «Y a pas d'soirée parfaite
> Y a toujours un pépin
> Toujours un trouble-fête
> Y a toujours un crétin
> Y a toujours un caniche
> Qui parle en espagnol
> Qui t'fournit en alcool
> Pour t'emmener dans sa niche[32]»

Qui ne connaît pas un gros colon?

> «Ç'a des écarts de politesse
> Pis ça s'tanne pas de manger des beans
> Ç'a toujours un bout d'craque de fesse
> Qui veut leur dépasser des jeans [...]
> Ça fait des blagues aussi subtiles
> Que leurs costumes de bain fluo
> Vous m'direz que c'est des imbéciles
> Méprenez-vous, ce sont des gros colons!!!
> GROS COLONS!!![33]»

Les maudits Français, une chanson qu'ils attendent toujours avec impatience durant les concerts de Lynda, une chanson qui est quasiment devenue une marque de commerce.

> « Y parlent avec des mots précis
> Puis y prononcent toutes leurs syllabes
> À tout bout d'champ, y s'donnent des bis
> Y passent leurs grand'journées à table [...]
> Y font des manifs aux quarts d'heure [...]
> Et quand y parlent de venir chez nous
> C'est pour l'hiver ou les Indiens[34] »

Nous, les Québécois, aurions-nous le même sens de l'humour et de la légèreté si un auteur écrivait un texte aussi descriptif sur les « maudits Québécois » ?

12 Les fans : émotions, sentiments et valeurs

Qu'est-ce qu'un fan ? Dans les dictionnaires, on dit qu'un fan est un jeune admirateur ou une jeune admiratrice enthousiaste d'une vedette. C'est le sens familier du mot « fan » et c'est le sens que je retiens dans ce texte. Cependant, les fans de Lynda Lemay sont de tous les âges. Les médias nous ont habitués à présenter les fans comme des jeunes en délire devant une « rock star » ou un autre artiste populaire. Évidemment, cela complique la situation pour celles et ceux qui sont des fans d'un artiste, mais qui ne veulent pas passer pour des fanatiques.

Dans ce chapitre, je présente des commentaires et des événements qui concernent particulièrement les fans de Lynda Lemay. Je crois que cela contribuera à mieux connaître l'univers de celle-ci.

Comment lui manifestent-ils leur attachement ? Qu'est-ce qui compte pour eux ? Pourquoi lui sont-ils fidèles ? Comment en sont-ils venus à tant admirer Lynda Lemay ? Quelquefois, les réponses à ces questions sont singulières, tandis qu'elles peuvent être, dans certains cas, communes.

De plus, il est intéressant de considérer que certains détails aident à mieux connaître les réactions des fans. Ainsi, quand ses fans prennent le temps de composer une chanson sur la chanteuse, son contenu est important pour comprendre ce qui les touche.

Il est évident que je ne peux pas inclure ici tous les commentaires que j'ai reçus. Tous les témoignages sont importants, mais il y a bien sûr des recoupements entre ceux-ci puisque tous les fans aiment la même artiste.

J'apprécie les témoignages de chacun, mais je ne porte aucun jugement de valeur sur eux. Il n'y a rien de banal quand quelqu'un exprime un sentiment ou une émotion. « À plus de 40 ans, c'est la première fois que j'écris au sujet d'un artiste. Cela me fait tout drôle parce que je ne suis pas une fanatique, simplement une admiratrice. Je n'ai pas grand-chose à dire. Tout simplement que j'ai ressenti les mêmes frissons en écoutant Lynda Lemay que j'ai eus à l'âge de 20 ans quand j'ai découvert les textes de Brel, même si les deux univers sont différents. »

Dans certains cas, j'ai reconstitué les témoignages, tandis que dans d'autres j'ai repris les textes des échanges en les réorganisant légèrement. Dans le premier cas, j'utilise alors le « il » ou le « elle ». Dans les autres, j'ai conservé la première personne du singulier.

De petits récits pour de grands événements

Stéphanie, de Québec, a 24 ans et est atteinte de sclérose en plaques. Elle écoute assidûment Lynda, particulièrement dans les moments difficiles. Le 24 novembre dernier, n'ayant personne pour l'accompagner, elle décide d'aller seule voir Lynda en spectacle. « Wow! quel spectacle, mais avant tout quelle simplicité! » se dit-elle. À la fin du spectacle, Stéphanie voit certaines personnes attendre pour rencontrer Lynda. Super! « Voilà ma chance », se dit-elle.

Lorsque son tour arrive, elle craque et se met à pleurer. Lynda la regarde, inquiète, et lui dit : « Ben voyons, qu'est-ce qui se passe ? » Stéphanie s'excuse et dit qu'elle est trop énervée et trop contente de la rencontrer. Lynda se lève, fait le tour de la table, prend Stéphanie dans ses bras en lui disant : « Que de belles émotions ! » Stéphanie ne se souvient plus de la suite, mais elle conserve l'autographe de son idole : « Salut Stéphanie et merci pour cette belle rencontre. Gros becs. Lynda Lemay ».

« Lynda est mon idole. Pas une idole fétiche. Une idole humaine et vraie », explique-t-elle quand elle raconte cet événement.

* * *

Alia, de Heillecourt, 20 ans, courtise Lynda depuis quatre ans. Depuis qu'elle l'a entendue pour la première fois interpréter *Le plus fort c'est mon père* en regardant « La chance aux chansons ». Alia ne croit plus au prince charmant et se pose sur l'amour de nombreuses et nébuleuses questions. Voilà que Lynda exprime avec justesse ce qu'elle ne parvient pas elle-même à dire. Elle est touchée au plus haut point. Elle griffonne sur un coin de cahier le nom de celle qu'elle vient de découvrir.

Le temps passe. Alia retrouve Lynda sur le plateau d'un journal télévisé, toujours aussi touchante, souriante, spontanée, drôle et plus encore. Cette fois, Alia est plus attentive. Des informations sont notées. Elle peut ainsi se procurer l'album *Live* et depuis les autres CD ont suivi.

Puis le 3 février 2001, à la salle de Poirel à Nancy, dans le nord de la France, c'est la mémorable rencontre avec Lynda. Alia a son billet depuis cinq mois. Membre de l'équipe du journal de son lycée *Tâche d'encre*, elle projette d'interviewer Lynda. Elle se pointe donc du côté de l'entrée des artistes. Pendant deux heures, « pour ne pas prendre racine », elle flâne autour du bâtiment sans trop s'en éloigner. Tout à coup, un grand camion blanc remonte la rue qui mène à l'entrée des artistes. Le cœur battant, Alia s'approche et se renseigne pour savoir à quel moment Lynda doit arriver.

De retour sur les lieux, elle la voit descendre du camion magique. Elle est si jolie, si frêle et semble fragile derrière ses grands yeux bleus. Alia ose, s'approche et lui tend une rose achetée quelques instants auparavant. Lynda la prend dans ses bras et l'invite à entrer avec elle. Malgré ses efforts pour la décrisper, Alia demeure impressionnée. Elle est là, dans la loge de l'artiste, la tête dans les étoiles. Alia n'oubliera jamais. Certaines réponses resteront dans sa mémoire.

« Avez-vous une devise ? lui demande-t-elle.

- Plus petite, ma mère me disait toujours de ne pas penser trop loin parce qu'on peut virer fou. Ça ne sert à rien de perdre de l'énergie en tentant de répondre à des questions qui, de toute façon, resteront sans réponse. Les mystères doivent rester des mystères : il faut s'arranger pour vivre du mieux qu'on peut avec ce qu'on connaît.

- Toutes vos chansons ne sont pas autobiographiques. D'où vient donc cette inspiration ?

- Je ne me sens loin de rien, je me dis que tout pourrait m'arriver. »

Depuis ce temps, Alia admire la seule chanteuse poète qui est, pour elle, une magicienne des mots.

* * *

Émilie habite près de Montpellier et vient d'avoir 18 ans. Du concert de Lynda, en juillet 2001, elle se souviendra toute sa vie. Elle arrive cinq heures avant le spectacle. Dans une atmosphère remplie d'effervescence, elle fait la connaissance d'autres admirateurs. Tout naturellement, un petit groupe se forme. Les fans discutent, plaisantent, se racontent et évidemment parlent de Lynda. Ils partagent la même passion de la vie avec ses hauts et ses bas. Celle que Lynda décrit avec tant de virtuosité.

Enfin ! C'est le spectacle. Durant deux heures défilent sur scène des bouts de vie. On se demande alors combien de vies elle a vécu pour tout savoir, tout comprendre et être un témoin aussi fidèle des réalités qu'elle met au jour.

Émilie entre dans le monde de Lynda ou bien c'est Lynda qui entre dans la sphère d'Émilie. Elle ne saurait le dire. Depuis, le cœur d'Émilie est en prison. Il lui a juré fidélité. Mais les chansons de Lynda n'ont pas de barreaux, pas de frontières et sa prison est ouverte et très jolie.

Puis, Lynda prend le temps de rencontrer ses fans. Elle est bouleversante de sincérité. On ne saurait poser de limites entre l'artiste et la femme. Elle est à la fois charismatique et accessible.

Émilie a fait de très belles rencontres à ce concert. Désormais, elle forme avec d'autres fans une belle « marmaille ». La fée Lynda a fait d'eux plus que des admirateurs. Ils sont devenus des amis, des passionnés de la vie qui lui disent simplement : nous t'aimons.

Ce qui a changé Philippe, de Béziers

« En octobre 2000, j'ai appris que j'étais atteint d'un cancer au larynx. Après un tel verdict, il me fallait réagir. Mais de quelle manière ? Le hasard voulut qu'un samedi soir, je regarde *Tout le monde en parle*, l'émission de Thierry Ardisson. Ce soir-là, parmi les invités, se trouvait Lynda Lemay. Immédiatement, le charme a opéré. Magique, ce fut une sorte de révélation. Comment rester insensible devant tant de charme, de spontanéité et de talent ? Les autres invités, qui, en général, dans ce genre d'émission, n'hésitent pas à vous bouffer tout cru, sont également tombés sous le charme de Lynda. J'ai alors acheté un disque, puis un autre… Pour garder le moral face à la maladie, certains peignent, tricotent, ou se livrent à d'autres activités.

Pour ma part, les textes de Lynda et cette voix, qui est un véritable instrument de musique, sont en grande partie "responsables" de ma guérison. Je vous assure que , lorsque j'étais sous chimiothérapie, sur mon lit d'hôpital, il a fallu toute la fraîcheur, tout le charme de Lynda pour m'empêcher de sombrer. Lorsque, le casque sur les oreilles, sa voix me berçait, je n'étais plus à l'hôpital, j'étais en "cavale", et, comme le moral est environ 60 % de la guérison, je dois donc 60 % de ma vie à Lynda.

Le calcul est simple ! Pourtant, ses chansons ne sont pas toujours très gaies, c'est là que le charme opère. Je suis maintenant guéri, et ce ne sont ni les bouquins, ni les mots croisés, ni les visites qui m'ont fait le plus de bien. Je dois à Lynda Lemay d'avoir vaincu la maladie, même si certains me croient un peu "décalé".

Bien sûr, je lui ai écrit ; après plusieurs essais, je suis enfin tombé sur une adresse fiable. Au fond de mon être, je savais, je sentais que ce n'était pas inutile et que ma ténacité serait récompensée. Deux mois après, lors d'une journée maussade, le soleil est entré dans ma maison, avec une lettre de Lynda, une lettre d'une gentillesse et d'un réconfort exceptionnels.

Quelques jours après, j'ai eu le bonheur de pouvoir l'applaudir à Sète, et elle a bien voulu me recevoir après le spectacle. Quelle femme extraordinaire, quel respect pour son public, quelle humilité, quel talent ! Une très grande DAME, doublée d'une très grande ARTISTE.

Grâce à Lynda, j'ai repris goût à la vie, tout simplement, elle m'a donné l'envie d'écrire de nouveau et même d'apprendre la guitare à 47 ans ! Lynda dégage une aura, un magnétisme rares, dès que l'on approche Lynda, on ne peut plus faire autrement que de l'apprécier ! Mystère ! Exemple : lors d'un concert, on est venu annoncer que la séance de dédicace n'aurait pas lieu. Tout le monde, moi compris, au lieu de rouspéter comme je l'avais fait avec un autre artiste, absolument tout le monde, est resté déçu, certes, mais en trouvant des excuses à Lynda, la fatigue... Ça, c'est exceptionnel. [...]

On peut écouter ses chansons dix, vingt fois et même davantage, on ne se lasse pas, on les redécouvre chaque fois avec autant de plaisir.

Depuis, chaque fois que je le peux, j'assiste à ses concerts. Récemment, à Troyes, lors des *Nuits de Champagne*, j'ai fait la connaissance de deux personnes absolument sur la même longueur d'ondes que moi et une amitié est née, preuve que Lynda attire des gens bien ! Le 12 février 2002, j'ai eu le grand bonheur d'être à Lyon, lors de son spectacle de la rentrée. Elle est de mieux en mieux, la dédicace qu'elle m'a faite a dépassé tout ce que j'aurais pu imaginer, comme si nous étions de vieilles connaissances et, si elle l'a écrit, elle le pense. Le 18 février, je vais l'applaudir à Strasbourg, avec justement une amie, rencontrée à Troyes, le 24 avril, à Saint-Etienne, le 1er mai, à Montpellier et, en septembre, à l'Olympia de Paris.

On pourra trouver tout cela excessif, mais je vois, depuis ma maladie, la vie sous un angle nouveau, et je ne vais pas aux sports d'hiver, ni d'été, d'ailleurs. J'ai aussi correspondu avec Lynda qui m'a répondu à plusieurs reprises. Enfin, une personne qui a compris que l'amitié est comme une plante, il faut en prendre soin. De plus, Lynda est, je pense, très bien entourée, ce qui ne m'étonne pas.

Elle est arrivée à temps pour redonner le goût du texte au public qui, à part quelques exceptions, ne devait se contenter que du "commercial".

J'espère que mon récit retiendra toute votre attention et je me tiens à votre entière disposition pour un autre bavardage.»

Laure, de Tours, est interprétée par Lynda

«Voilà, ma rencontre avec Lynda Lemay est je crois un peu particulière mais tellement importante pour moi que je vais vous la raconter. J'ai découvert Lynda dans l'émission de Laurent Ruquier en avril 1999, au printemps de Bourges, au cours de laquelle Lynda a chanté live *Le plus fort c'est mon père* et *La visite.*

Le jour même, je retranscrivais déjà les chansons sur mon calepin, pour les jouer à la guitare! Enfin, j'ai chanté ces deux chansons à ma famille et ils ont tellement adoré qu'il a fallu que je les chante à chaque fois que des gens venaient nous rendre visite (ah! *La visite* a marqué ma vie, vous allez voir pourquoi ...) Et lors de notre départ en vacances, on a fait tourner le live dans la voiture pendant tout le trajet!

Et puis un jour du mois de juillet, alors qu'il faisait chaud, j'ai de nouveau pris ma guitare et je me suis amusée à improviser un peu sur *La visite* (nous y voilà!) et je suis bien restée trois heures dessus, sans m'arrêter, et j'ai écrit la suite de la chanson. C'est-à-dire, d'autres paroles sur la musique originelle. Et ça a donné *J'ai pas d'visite.* La chanson raconte la suite de la vie de «l'héroïne qui ne voulait pas d'visite parce qu'elle avait pas passé l'balai». Dans ma chanson, elle a 70 ans et s'ennuie toute seule chez elle, alors maintenant elle souhaite de la visite, de ses enfants, de ses amis, de son facteur...

J'avais donc écrit ce texte pendant les grandes vacances, et je l'avais rangé dans un tiroir. Puis, au mois de septembre, je vois que Lynda devait passer à La Riche (à côté de Tours) le 25 novembre. Alors je me suis empressée d'aller acheter un billet. Trois jours avant le concert, je me dis: «Tiens, et si j'envoyais mon texte à Lynda?» Ni une ni deux, je recopie mon texte, et le poste, avec un petit mot, deux jours avant le concert. Je l'adresse à la salle dans laquelle elle devait chanter. Et vient le jour J. C'est la première fois que je vois Lynda, six mois après l'avoir découverte. C'était formidable ! Avec mes amis, on rigolait à chaque chanson : *Alphonse*, trop drôle la position qu'elle prend sur son grand tabouret, avec une moue qui en dit long sur le bonheur de porter un tel prénom. *Époustouflante*, c'est elle qui l'est. Et puis la tête des deux musiciens quand elle chante « bande de dégonflés » ! Puis *La visite* et *Les souliers verts*, succès immense dans toute la salle, et puis des chansons tristes, mais interprétées magnifiquement.

Un régal ! Puis la fin approche ça va être l'heure des bis.

Tout à coup, Lynda explique qu'elle a reçu plusieurs lettres dans sa loge au cours de l'après-midi. Dont la lettre d'un monsieur qui voulait qu'elle chante *Chaque fois que le train passe*, mais elle s'excuse de ne pouvoir la chanter à ce concert. Puis d'un seul coup je la vois qui tient dans ses mains une feuille pliée comme celle que je lui avais envoyée. Là, j'ai commencé à avoir le cœur qui tapait. Et voilà Lynda qui dit qu'elle a reçu un courrier de Laure qui lui a envoyé la suite de la visite. Elle dit qu'elle a été très émue en le lisant tout à l'heure dans sa loge. Alors elle a décidé de nous le chanter ce soir. Puis elle me dit : « Tu viendras ensuite sur scène prendre ton salut ! » Je ne vous raconte pas dans quel état j'étais. Et elle s'est mise à chanter, la feuille devant les yeux, précisant qu'elle allait essayer de « pas trop bafouiller » !

Ça m'a fait tout bizarre de l'entendre chanter mon texte. Je réalisais que j'étais la seule à le connaître et que tous les gens dans la salle le découvraient pour la première fois. Elle l'a interprété magnifiquement, accompagnée de son pianiste ; c'était très très émouvant ! Moi, j'étais figée sur mon siège, quand mes amis m'ont dit qu'il fallait que je monte sur scène, moi, je n'osais pas, mais ils m'ont tellement poussée qu'il a bien fallu que j'y aille.

Et puis me voilà sur scène, et tout le monde m'applaudissait, même les musiciens, et Lynda ! Ça m'a fait tout drôle. En plus, la lumière m'éblouissait et je ne voyais pas le public. Je l'entendais seulement et j'étais là, à côté de Lynda ! Et puis elle m'a fait la bise et m'a remerciée. Je l'ai remerciée à mon tour, puis suis vite repartie m'asseoir dans la salle. J'ai pas trop réussi à me concentrer sur la fin du concert. J'étais encore sur mon petit nuage.

Puis le concert a pris fin. Tout le monde est sorti de la salle. Avec mes amis, nous sommes restés dans le hall parce qu'il y avait une séance d'autographe. J'ai attendu que la plupart des gens aient le leur. Certains me reconnaissaient et me félicitaient. Puis je me suis approchée de Lynda. Quand elle m'a vue, elle m'a dit " Bravo ! ". Elle pensait voir arriver une personne de 70 ans comme dans la chanson. Elle m'a dit que le texte était très bien écrit. Avec tout ça, je n'ai même pas pu lui dire que c'est moi qui la remerciais ! On a parlé pendant cinq minutes (de Laurent Ruquier, grâce à qui je l'ai découverte, etc.) Puis elle m'a fait un autographe sur mon programme. »

Voici ce qu'elle a écrit :

« Salut Laure ! Merci pour ce beau moment d'émotion dans mon show. Tu m'épates par ton écriture et je te souhaite vraiment la carrière et le bonheur que tu mérites. Lynda Lemay »

« Et voilà ! Je peux vous dire que j'ai eu du mal à m'endormir après. Avec mes amis, nous sommes allés fêter ça autour d'un verre !

C'est vraiment un de mes plus beaux souvenirs.

Depuis, j'ai revu deux fois Lynda Lemay (à Nevers et à l'Olympia à Paris), et chaque fois je suis allée la saluer à la fin de son show ! Elle était toujours ravie de me voir, toujours fidèle. Je retourne la voir sur scène dans un mois. Ce qui est impressionnant, c'est qu'elle ne s'arrête jamais de faire de la scène. Et chaque concert est différent. Elle ne chante jamais les mêmes chansons d'un concert à l'autre. Et de temps en temps, elle "teste" une chanson qu'elle vient de composer pour voir la réaction du public, afin de savoir si elle inclura cette chanson sur son prochain album, voire même plus tard dans sa tournée.

Voilà, ma découverte de Lynda Lemay a été un flash et depuis je lui reste fidèle pour la beauté de ses textes, la qualité de sa voix si expressive et touchante et c'est un réel plaisir de la voir sur scène, où elle est tellement à l'aise et proche de son public. La force de ses concerts, aussi, est de nous transporter du rire aux larmes d'une chanson à l'autre tout en douceur, sans même que l'on s'en rende compte. Si je lui ai envoyé ce texte, c'était pour lui dire combien j'admirais son talent et son écriture.

Je terminerai en disant que si l'on a la chance d'approcher Lynda, "hors scène" on se rend compte qu'elle a un cœur aussi grand que dans ses chansons. »

J'ai pas d'visite (sur la musique de *La visite*)

J'ai pas d'visite
Et dire qu'j'en voulais pas avant
Qu'j'en avais peur comme le loup blanc
J'ai pas d'visite
Et maint'nant qu'j'ai soixante-dix ans
J'en voudrais bien de temps en temps

J'ai pas d'visite
Pas même une du cousin Fernand
Je l'ai pas vu depuis vingt ans

J'ai pas d'visite
Juste une ou deux de mes enfants
Et un coup d'fil le jour de l'an

Pourtant j'préparerais des p'tits plats
J'command'rais même des pizzas
Mais plutôt que d'venir chez moi
Ils s'en vont au resto chinois
Ou préfèrent un bon cinéma

J'ai pas d'visite
Je n'sors jamais, je reste chez moi
J'aimerais qu'on pense à moi parfois
Et qu'on m'invite
Mais j'crois qu'ils m'ont tous oubliée
Parc'qu'avant c'est moi qui les r'j'tais

J'ai pas d'visite
Faudrait qu'ça s'dise dans le quartier
Que maint'nant j'suis disciplinée
Et qu'j'les invite
J'promets qu'j'me tiendrai à carreaux
Et qu'j'leur offrirai l'apéro

Parce que la visite, c'comme les gâteaux
Il n'y en aura jamais trop
Souvent même y'en a pas assez
On a vite fait d'en r'demander
Ça vous change d'la télévision

Ça fait parfois vos commissions
Ça met d'la vie dans la maison
Maint'nant qu'j'ai plus mon vieux Léon

J'ai pas d'visite
Y'a bien l'facteur qui m'porte mon courrier
Mais il n'a pas l'temps s'arrêter
J'ai pas d'visite
Anne et Pierre d'vaient passer lundi
J'attends toujours, on est jeudi !

Et si c'est moi qui vais les voir
Y m'disent de repasser plus tard
Parç'qu'aujourd'hui y sont pressés
C'est qu'ils ont du monde à dîner
C'est drôle mais l'monde c'est jamais moi
Faut que j'reparte que j'rentre chez moi
Alors j'sors mon album photo
Et c'est toute seule que je finis
Mon apéroi[35] »

Catherine, de Breisach-Gündlingen en Allemagne, et son spectacle raté

« Tout d'abord, merci de vous intéresser à Lynda Lemay, et de nous permettre, ainsi, de l'approcher d'encore plus près, par le biais de votre livre que j'attendrai avec impatience. Avant même de recevoir votre courriel, j'avais déjà préparé un témoignage. Ne sachant pas si j'aurais le temps de vous le faire parvenir, j'ai envoyé, en priorité, celui de Philippe, comme nous l'avions convenu. Il va de soi que je vais le prévenir de votre intérêt, mais je sais, par une tierce personne, Eddy, qui vous a aussi écrit, qu'il a eu votre réponse à son premier témoignage. Vous pouvez constater à quel point Lynda Lemay rassemble les êtres, d'où qu'ils viennent !

Je vous joins donc mon témoignage:

Lyn-da, Lyn-da, Lyn-da ! Le concert se termine et le public scande son nom en tapant dans les mains, à en faire exploser la salle ! Je la vois pour la première fois sur scène. Les larmes de joie et d'émotion coulent toutes seules, je reste scotchée au siège, incapable de bouger. J'ai une boule au fond de la gorge et je ressens un grand vide bienfaisant. Lynda, c'est ma thérapie. C'est de la poésie vraie, des textes qui parlent au cœur, à l'âme. Elle met des mots sur les maux. Vous l'avez compris, mon admiration pour cette artiste est sans bornes. Ses chansons me ressemblent, je me retrouve dans presque toutes. Ses textes, c'est ce que je ressens, à la différence qu'elle, elle trouve toujours le mot juste, celui que je cherche sans cesse pour traduire ma pensée, sans la trahir. Avec elle, je passe du rire aux larmes, du coq à l'âme, sans même m'en rendre compte. Je ris (jaune) en écoutant *Époustouflante*, car je me reconnais, sortant de chez le coiffeur, comme toujours insatisfaite ! Et puis, je vois ma grand-mère sur son lit d'hôpital dans *Paul-Émile a des fleurs*. J'ai vécu ce déchirement : on voudrait les garder en vie, mais, d'un autre côté, on préférerait qu'ils partent, pour ne plus les voir souffrir. J'ai trouvé très, très drôle *Les Souliers verts*, dont j'ai aimé l'humour décapant. *La Centenaire* est merveilleuse de poésie et la *Maudite prière*, criante de vérité. Moi-même maman de quatre enfants, je me suis reconnue, balançant, lors de ma quatrième grossesse, entre bonheur et doute. Je n'ai, jusqu'à présent, entendu cette chanson qu'une fois, lors d'un concert à Strasbourg en février 2001, mais elle reste très présente dans ma mémoire, tellement elle m'a coupé le souffle... Je ne vais pas énumérer toutes ses chansons, elles me plaisent toutes. Pas une à jeter !

Chacune porte un morceau de mon histoire et je ne remercierai jamais assez Lynda de mettre en mots « mes » émotions. C'est pourquoi je parlais de thérapie, plus haut [...]

À cela, j'ajouterais que Lynda a du génie. Elle manie les mots et les images avec un don déconcertant (elle-même reconnaît écrire ses chansons très vite). Elle ne se contente pas de dire: « tu es devenu blanc », non, elle en fait une image pleine de poésie: « T'étais comme un caméléon sur le lit blanc » (*Les souliers verts*). Elle fait de la vieillesse quelque chose de beau, de grand: « un cheveu blanc, c'est comme la neige avant le printemps » (*La Veilleuse*). Avec elle, une image en appelle une autre, on passe sans cesse d'un univers à un autre. Chaque recoin de notre âme est exploré et, vraiment, je suis époustouflée par cette faculté de tout pouvoir ressentir et dire avec justesse, cette précision et cette poésie.

Depuis ce concert de février 2001 à Strasbourg, j'ai assisté à trois autres concerts. Chaque fois, la même magie opère. C'est fou comme cette jeune femme menue a de la présence sur scène! Lorsqu'elle entre en scène, mon cœur fait, chaque fois, un bond, gonfle jusqu'à éclater et laisse enfin écouler, tout au long des chansons, son trop-plein d'émotions, me libérant, ainsi, d'un poids parfois lourd à porter et me réconciliant en même temps avec le monde entier! Je sors des concerts de Lynda légère, légère...

J'ai aimé les textes de Lynda dès la première écoute. À ce moment-là, tous ses CD n'étaient pas encore disponibles en France, alors, je les ai fait venir du Québec. Pas question de rater une seule de ses chansons! Et puis, alors qu'elle n'était pas encore très connue, elle a entamé une tournée en France. J'ai une petite histoire à raconter à ce sujet.

J'ai appris, un samedi matin, par un courriel, que Lynda venait à Mulhouse. C'est à une cinquantaine de kilomètres de chez moi. Affolée par l'urgence, j'appelle la FNAC, qui m'assure qu'il reste encore quinze places. Je fonce immédiatement à Mulhouse, en chercher une. Comme j'habite en Allemagne, c'est le seul moyen, m'a-t-on dit. Là, on m'annonce que c'est complet, que la collègue a dû se tromper... C'est un choc pour moi et les larmes me montent aux yeux. La dame de l'accueil y est sensible (je me souviendrai toujours de son "mais... vous pleurez?") et elle me promet de faire tout ce qu'elle peut pour me trouver encore une place. Elle m'annonce, au terme d'un week-end fiévreux et angoissé, la bonne nouvelle, et, sans hésiter, je repars à Mulhouse, en toute hâte, après avoir déposé mes enfants à l'école et au jardin d'enfants. Me voilà donc en possession d'une place et connaissant un bonheur sans limites! Mais voilà, il y a une incertitude...

Le concert a lieu le 2 décembre 1999 et je dois accoucher le 10. Je me rassure en pensant que mes trois autres enfants sont tous nés après terme. Hélas, je me réveille le 1er décembre au matin, la poche des eaux percée. Ma première pensée est pour Lynda, que je vais rater!! Je suis extrêmement déçue, j'en pleure [...] J'accouche, mais cela se passe mal pour le bébé. Je ne trouve pas le sommeil. Pendant ce temps, ma petite fille lutte pour sa survie. [...] Je suis un peu ailleurs... Elle est transférée aux soins intensifs le lendemain, et je choisis immédiatement de rester à ses côtés, pour me battre avec elle. Je relègue mes regrets au fond de mon âme. Peut-être même que cette infection est un avertissement? Peut-être qu'à force d'écouter Lynda (ses CD passent en boucle, à la maison...), je passe à côté de la réalité?. Ma fille sort victorieuse de son combat et je suis soulagée. Mais pendant des mois, je rêve souvent que j'assiste au concert de Lynda. Il y a peu de monde (c'est sa première tournée, la plus importante...), c'est une ambiance intimiste et elle me reçoit, après le concert... Chaque fois, je me réveille, amère. D'autant que deux ans plus tard, à Strasbourg, je rencontre des gens qui étaient à Mulhouse et qui me confirment que le concert a bien eu lieu dans une toute petite salle, avec 200 personnes (199, sans moi!) et que l'ambiance était fantastique.

Je n'en ai, naturellement, jamais voulu à ma fille, mais lorsque je pense à ce rendez-vous manqué, j'ai toujours un petit pincement au cœur... Je l'ai dit à Lynda, lorsque je l'ai rencontrée, et je lui ai même envoyé un petit texte sur le sujet, histoire de forcer, peut-être, l'inspiration...

Au cours de ses séances de dédicaces, Lynda est fidèle à l'image qu'elle donne d'elle-même : elle est attentive à ce que chacun lui raconte, elle prend son temps pour répondre, même lorsque son attachée de production la presse, elle déborde de gentillesse et attire la sympathie. Lynda est réellement ce qu'elle paraît être et pour cela aussi, je la remercie du fond du cœur ! Avant elle, il n'y avait que Jean Ferrat. Désormais, ils doivent se partager le lecteur de CD... C'est une Grande, elle aussi... »

Le récit d'une déclaration d'admiration : l'histoire de Maud, de Nanterre

Le 10 novembre 2001, dans une petite salle de l'Olympia, une vingtaine de personnes dont le cœur battait un peu plus fort qu'à l'habitude ont chanté *La plus forte c'est Lynda.*

« C'est ta dernière, Lynda
quel vide à l'Olympia
nous les maudits Français
on n'peut plus s'passer d'toi
alors avant d'partir
s'il te plaît écoute ça
c'est à nous de chanter juste pour toi

Comment t'as fait, Lynda
pour en arriver là

monsieur Aznavour doit
être si fier de toi
crois-tu qu'il le savait
qu'on allait tant t'aimer
toi l'oiseau rare qu'il nous a présenté

Comment t'as pu trouver
ces mots qui touchent nos cœurs
qui savent nous faire pleurer
nous remplir de bonheur
on l'sait depuis longtemps
qu'y en a pas deux comme toi
on a d'la chance vraiment
t'es la plus forte, Lynda

Comment ça s'fait, Lynda
où vas-tu chercher ça
c'est pas croyable vraiment
d'avoir tout c'talent là
toi la fan de Johnny
tes yeux brillent devant lui
eh bien nous ce soir c'est devant toi

Comment t'as fait, Lynda
pour nous connaître comme ça
chaque détail tu dessines
avec ta drôle de mine
t'écris des mots magiques
fais-tu ça sans t'rend'compte

quand c'est nos vies que tu racontes

Comment t'as pu trouver
ces mots qui touchent nos cœurs
qui savent nous faire pleurer
nous remplir de bonheur
les poètes d'antan
tu les laisses loin derrière
on a d'la chance vraiment
t'es une artiste hors pair

C'est une si belle soirée
qu'tu nous as fait passer
sautant du coq à l'âme
le temps s'est arrêté
et c'est ainsi chaque soir
tu sais nous émouvoir
on a raison d'le dire
t'es la plus forte, Lynda

Chaque rime nous surprend
dans tes chansons miroirs
tout devient évident
ni normal ni bizarre
toi qui de tout ton cœur nous donnes le meilleur
ici on pense tous ça
t'es la plus forte, Lynda

C'est fou l'effet qu'ca fait
quand on vient t'rencontrer
toute en simplicité
on ne peut que t'aimer
avec nos mots précis
on voudrait t'dire merci
et aussi surtout ça
t'es la plus forte... Lynda[36] »

Il semble bien difficile d'exprimer en quoi l'œuvre de Lynda Lemay nous touche, ce qu'elle touche en moi est indéfinissable. C'est trop profond sans doute. Pour témoigner de ce qu'est Lynda Lemay pour moi, je peux simplement vous raconter l'histoire de cette chanson.

J'ai vu Lynda Lemay sur scène pour la première fois en mars dernier. Lorsque je suis sortie de l'Olympia, les mots me manquaient pour exprimer ce que j'avais vécu, je ressentais le besoin de dire merci à Lynda, peut-être simplement de la serrer dans mes bras sans rien dire, juste pour lui transmettre un peu de cette émotion qu'elle avait créée en moi.

Je savais que, face à elle, j'aurais été incapable de parler, je ne voulais pas lui écrire, je l'avais déjà fait, de plus, des bravos et des mercis, Lynda doit en recevoir des centaines chaque jour.

Je voulais pour Lynda un merci différent, un bravo différent, quelque chose qui puisse lui donner ne serait-ce qu'un peu de la confiance en son talent dont elle semble tant manquer. Pourtant, je n'avais que mon cœur et mes mots... c'est d'eux qu'est née " La plus forte c'est Lynda "

Il aura fallu environ sept mois d'organisation pour que Lynda l'entende. Avec deux amies, nous avons trouvé des complices dans l'entourage de Lynda, réuni des fans, réglé les derniers détails dans les jours qui ont précédé. C'était si important pour nous.

Ce soir-là, en l'espace de quelques minutes, nous avons vu Lynda surprise, attendrie, émue, très émue.

Si je devais vous dire qui est Lynda Lemay pour moi, je parlerais bien entendu de cette auteur qui me surprend à chaque texte, de cette interprète capable de me faire rire et pleurer, mais je parlerais surtout des larmes de cette femme aussi forte que fragile, j'évoquerais cette femme chaque fois étonnée de ce qu'elle crée en nous, je parlerais de Lynda, celle à qui je dis " tu ", celle qui fait partie de ma vie. C'est étrange, cette confiance que j'ai en elle. Et pourtant, je ne la connais presque pas. »

Chantal, de Lachenaie, écrit sa version de *La plus forte c'est Lynda*

« À la première écoute de son album *Y*, ce qui m'a le plus impressionnée, c'est son talent indéniable pour l'écriture. Je ne pouvais pas croire qu'une personne puisse arriver à écrire de cette façon, à trouver les rimes, les mots, qu'ils soient simples, plus recherchés et même parfois crus, mais toujours avec une justesse et un dosage adéquats qui font que le message qu'elle veut livrer passe sans difficulté.

Au premier spectacle, ce fut tout un choc! J'ai découvert son aisance sur scène, le partage avec son public et son talent d'interprète, pour les chansons humoristiques autant que dramatiques. [...] Mais, ce qui est encore plus exceptionnel, c'est qu'elle nous interprète, tout au long de la soirée, des chansons inédites, toutes plus criantes de vérité les unes que les autres, sans tabous ni censure, sur une musique dosée qui fait qu'on n'a pas à tendre l'oreille pour écouter les textes. On comprend tous les mots dès la première écoute. [...]

Et de spectacle en spectacle, de disque en disque, puis au moment des séances d'autographes, on découvre, derrière l'artiste, une femme intègre, chaleureuse et simple, qui a des valeurs très respectables, tant sociales que familiales. C'est toute une leçon de vie qu'elle nous livre, toute une thérapie dans une société de moins en moins tolérante, dans une société en perte de valeurs.

Je vous communique également une chanson de Lynda (*Le plus fort c'est mon père*) dont j'avais modifié les paroles et qui résume bien ma pensée à son sujet. Elle a déjà pris connaissance de cette chanson. De plus, comme vous le savez probablement déjà, lors de la 100e représentation de son spectacle *Du coq à l'âme* en France, des fans français avaient eu la même idée que moi, soit de modifier la chanson *Le plus fort c'est mon père* et lui avaient chanté leur composition en hommage à la fin de son spectacle. Donc, je vous soumets le texte pour consultation[37].

« Comment fais-tu, Lynda
Pour trouver tous ces mots
Si tristes, si rigolos
Si vrais, si pleins d'émoi
Tu sais, toutes tes chansons
Nous touchent énormément
Qu'on soit fille ou garçon, papa, maman
Comment fais-tu, Lynda
Pour raconter si bien
Toutes nos peines et nos joies
Nos rêves de demain
Parfois, on verse une larme
Ou on rit aux éclats
Quand tu relates nos drames ou nos tracas

Comment peux-tu écrire
Toute cette réalité
Dont on n'ose pas parler
Dont on n'ose même pas rire
Et oui, y'a juste toi
En France ou au Québec
Qui nous charme par ta voix
Qui nous charme par tes textes
Comment peux-tu, Lynda
Être si simple et charmante
Si drôle et si vivante
Y'en a pas une comme toi
Qui peut écrire d'la sorte
Alors, ne t'arrête pas
D'chanter l'amour, la vie, la mort, qu'importe
Comment fais-tu, Lynda
Pour nous ouvrir ton cœur
Avec autant d'amour
Avec autant d'humour
Est-ce qu'y'a des mots magiques
Que tu dis sans t'rendre compte
Pour qu'on écoute sans cesse c'que tu racontes
Les sujets abordés
Dans toutes tes chansons
Peuvent nous faire oublier
Un drame, une trahison
Ils nous font beaucoup rire
Ou nous font réfléchir
Nous font être tolérants

Comme dans notre jeune temps
Dès qu'on t'voit en spectacle
Ou lors des autographes
On devient accroché
Et on n'fait qu'écouter
Que du Lynda Lemay
On n'sait quel est ton truc
Pour mettre le mot juste
Sur nos vicissitudes
Toutes ces leçons de toi
Remplacent une thérapie
Tu dis tout haut c'qu'on pense
Tu parles de ce qu'on vit
Nous, on aime bien t'entendre
Raconter ces bouts d'vie
Tu brises le silence
Dans tous ces moments tendres
Une chose demeure certaine
On t'aime par centaines
Qui n't'a pas comparée
Aux grands de ce métier
Eh oui, t'es appréciée
Tout comme ils l'ont été
Mais dis-toi bien, Lynda
Qu'la plus forte… c'est bien toi[37] »

Et tous les autres témoignages

Dans le cadre de la rédaction de ce livre, j'ai eu trois types de contacts avec les admirateurs de Lynda. Le premier type est le commentaire très général du genre suivant: « Je l'aime parce qu'elle est simple. J'aime la plupart de ses chansons parce qu'elles me touchent... » Le deuxième est le court commentaire contenant habituellement une appréciation globale de l'artiste puis un témoignage concernant une ou quelques chansons. C'est le type de commentaires que vous avez lus dans les premiers chapitres de cet ouvrage. Le troisième est le témoignage correspondant au cheminement du fan au fur et à mesure de ses diverses rencontres avec Lynda. C'est ce genre de commentaires que vous trouvez dans le présent chapitre.

Tous ces types de commentaires sont importants puisqu'ils sont révélateurs de l'attachement des fans à l'égard de Lynda Lemay. Dans un tel contexte, choisir parmi tous ces témoignages fut difficile.

J'aurais aimé vous raconter l'histoire de Nancy, de Sorel-Tracy, qui publie sur le Net des réactions aux spectacles de Lynda, qui aussi, avec le temps, s'est créé un réseau d'amis tous fans de l'artiste. Grâce à ce réseau, elle réalise à la fin de septembre 2002 un de ses rêves les plus chers: aller à Paris et en plus assister à un concert de Lynda à l'Olympia.

J'aurais aussi aimé vous raconter le cheminement de Cédric, de Boulogne-Billancourt dans la proche banlieue parisienne. Un récit assez rocambolesque qui se déroule sur pratiquement une année, mais contenant aussi des propos assez touchants: « Je me souviens surtout, vers la fin du spectacle, de *Ceux que l'on met au monde*. La voix s'élève dans un silence que même une mouche n'a pas osé troubler. Lynda arrête de chanter et le silence gorgé d'émotion perdure sur les derniers accords du piano. Lorsque la dernière note tombe, il faut encore quelques secondes, fortes et intenses, de silence lourd, pour que nous nous souvenions que nous sommes dans une salle de spectacle. » Ou encore quand il s'apprête à demander sa première autographe : « Je l'observe en attendant mon tour. Elle a de grands yeux bleus doux, des mimiques inquiètes, attentives ou heureuses. Son visage est très mobile, très expressif. Il y a quelque chose d'inattendu dans son attitude. Où sont la distance, l'air un peu blasé, le sourire un peu moulé qu'on attend d'une artiste connue ? Elle paraît plus heureuse que les gens qui viennent la voir. » Ce même Cédric qui me raconte les quelques heures vécues par le groupe avant la présentation de *La plus forte c'est Lynda* à l'Olympia.

J'aurais aussi pu vous présenter le récit d'Eddy qui prépare un dossier de vingt-cinq pages de commentaires qu'il remet à Lynda au cours d'une séance d'autographe, qui trouve hallucinant qu'une telle vedette se rappelle les prénoms de plusieurs de ses fans, qu'elle réponde à son courrier qu'il lui expédie, que ses musiciens soient aussi accessibles et qui a le projet de venir la voir en spectacle au Québec d'ici quelques années. Il y a aussi Frédéric, de Bordeaux, qui me raconte qu'il a réalisé ce rêve de venir au Québec et qu'il a assisté à un spectacle au Capitole, où il a retrouvé d'autres fans membres du même groupe de discussion et qui me fait part de sa participation à l'événement *La plus forte c'est Lynda* grâce à l'initiative de Maud.

Et ce témoignage de Julie, de Sacré-Cœur, 16 ans, pour qui Lynda est une idole. Elle compose des chansons et elle interprète aussi celles de son artiste préférée. Elle a même sur le web une page personnelle dédiée à Lynda et n'en revient toujours pas d'avoir pu la rencontrer dans sa loge. Ou encore celui de Manuel, de Billy-Berclau, fonctionnaire qui souhaite percer dans le monde de la création, qui envie le talent de Lynda et qui me dit que cette dernière lui donne le courage d'aller de l'avant. Et René, de Victoriaville, qui connaît suffisamment la discographie de Lynda pour me présenter un tour d'horizon quasi complet de ses principales chansons.

Il y aurait eu aussi les témoignages de Jacinthe, de Sonia, de Nancy, de Marie-Josée, de Louiselle, de Sylvie, de Chantal, de Marie, de Carole, de Christine, d'Isabelle, de Gemma, d'Élize, de Nadine, d'Anne, de Caroline, de Séverine, d'Évelyne, de Sandrine, de Bertrand, de Thierry, de Sophie, de Jasmine, de Marie-France, de Mahalya, et des quelques deux cents cinquante autres personnes...

Merci à toutes et à tous. J'ai passé de très agréables moments en votre compagnie. Et un peu grâce à vous, j'ai mieux compris l'importance des émotions et des sentiments dans la vie de chacun.

Émotions, sentiments et valeurs: trois mots indissociables.

13 Des pièces éparses de la mosaïque

À chaque fois que j'ai conversé avec Lynda, j'ai constaté qu'elle a une pensée très cohérente. Même si cela peut sembler paradoxal, je dirais qu'elle a l'art de parler simplement de la complexité de la vie.

Je dirais aussi, la connaissant un peu mieux aujourd'hui, que cette femme a une intelligence typologique de la vie et que cela se ressent dans ses textes. En proposant cette explication, je rejoins Henri Salvador quand il déclare: « Je suis persuadé que Lynda Lemay ne voit pas la vie comme tout le monde. Elle la voit d'une manière très différente des autres. »

Cela vous semble compliqué? Pas tellement. Singulier? Oui.

Lynda Lemay raconte la vie et sa vie. C'est le lien entre tous les thèmes qu'elle développe. En quelque sorte, ses cahiers noirs sont une mémoire puisqu'ils suivent, quasiment de semaine en semaine, l'évolution de ses intérêts, de ses préoccupations, de ses émotions et de ses valeurs. Avant tout, elle se raconte ses petites histoires afin de mieux comprendre la vie. Dans cette perspective, Lynda soliloque beaucoup. Elle se fait donc des petits discours à elle-même à partir de l'émotion, et non pas à partir d'une rationalisation quelconque.

Il est fréquent qu'elle écrive de nouvelles chansons sur un sujet qu'elle a déjà abordé plusieurs fois. On se rend alors compte que c'est l'angle qui a complètement changé. Elle peut raconter l'histoire d'une femme qui explique à son enfant qu'elle ne lui a pas donné la vie qu'elle aurait souhaité. Dans un autre texte, c'est l'enfant qui répond à sa mère en lui offrant sa propre vision de la réalité. À cela pourrait s'ajouter le point de vue du père ou d'une autre personne. En reprenant dans ses cahiers noirs toutes les petites histoires sur le même sujet, Lynda pourrait facilement en raconter une plus longue avec un éventail de points de vue. C'est cela une intelligence typologique : voir la vie sous des angles différents du sien, celui-ci n'en étant qu'un parmi tous les autres. « J'ai eu l'impression qu'elle était entrée dans ma tête », m'ont souvent dit les fans dans leur témoignage. À mon avis, ils exprimaient simplement ce qu'est une intelligence typologique. Je crois que c'est l'une des forces de Lynda dans son processus de création. Elle pense et elle observe la vie sous plusieurs angles : « Je crois que je peux aider les autres à voir la vie autrement, quelquefois avec plus de lucidité. »

* * *

Ailleurs dans cet ouvrage, j'ai dit que Lynda est une archéologue des détails. Qu'est-ce que cela signifie ? Méticuleusement et patiemment, un archéologue fouille un site à la recherche de vestiges matériels produits par une civilisation qu'il veut connaître davantage. À la fin d'une journée de travail, il est satisfait parce qu'il a trouvé une pierre ciselée, un fragment de poterie, quelques fossiles, quelques pierres placées les unes contre les autres… En accumulant toutes ces pièces, jour après jour, il reconstruit la vie et l'époque des gens qui ont habité ce lieu. Il recrée la mosaïque de leur vie.

Lynda est une archéologue des émotions et des sentiments. Avec une curiosité naturelle et une perspicacité rare, elle fouille la vie et sa vie dans les détails. Attentive, elle les collige sans méthode et sans effort particuliers. Les détails épars s'accumuleront longtemps sans être nécessairement une source d'inspiration. Mais de cette dispersion naît progressivement une mosaïque dans laquelle les détails se raccrochent les uns aux autres. Un matin, assise au bout de sa grande table, Lynda commence à griffonner des mots dans son cahier de brouillons. Les détails accumulés émergent en donnant le ton à une chanson, tandis que la mélodie, qui lui vient presque simultanément, annonce la légèreté ou la gravité. Quelquefois, il en ressort une chanson ciselée travaillée en respectant les règles de la poésie, certaines fois le texte est un récit pur et sans être un poème sauf dans sa présentation visuelle et d'autres fois, l'émotion brute donne l'impression d'un texte écrit dans un seul et même souffle, un long cri venant des profondeurs de l'âme.

Lynda Lemay a une œuvre intimiste parce qu'essentiellement sa matière est l'émotion et le sentiment. Il est bien évident que tous les détails présents dans ses textes ne sont pas des faits vécus par elle.

* * *

Un créateur n'est pas son œuvre, mais il n'est pas absent de celle-ci.

Tant par ses textes édités que par ses inédits, je dirais que l'œuvre actuelle de Lynda Lemay est faite d'un ensemble de mosaïques qui se reconstruisent sans cesse à partir de ses thèmes préférés. Plusieurs d'entre vous les reconnaîtront :

- l'amour dans les espoirs qu'il suscite, dans les illusions qu'il entretient quelquefois, dans les désillusions et les déceptions dues à l'expérience malheureuse ;

- l'importance du soleil dans la vie, du soleil qui pénètre, qui réchauffe et qui donne une belle apparence au corps, mais aussi un soleil symbolique proche du plaisir, de la joie, de l'exubérance et du bonheur;
- la vision de la vie qu'ont ceux qui touchent le fond et qui sombrent dans l'alcoolisme, la dépendance, voire dans la débauche;
- le tiraillement entre le désir et la retenue;
- le sentiment de sécurité que devraient apporter la famille, l'amitié et l'amour;
- le temps qui passe et ses rapports avec la mort et la réflexion sur la vie d'artiste.

***

«Quelquefois, quand je relis mes cahiers noirs, j'ai l'impression que certains de mes textes sont prémonitoires. Ce que j'ai écrit à un moment donné m'est arrivé plus tard», m'a déclaré Lynda.

Il n'est pas dans l'intérêt de ce livre de démontrer si elle a raison ou pas. Je peux cependant affirmer qu'il est vrai que certains textes inédits écrits particulièrement dans les années 1993 et 1994 sont des descriptions assez fines de ce qu'elle a vécu vers la fin des années 90. En lisant ces textes, plusieurs fois, je suis retourné vérifier les dates d'écriture de ceux-ci parce que j'étais sûr que j'avais mal noté l'information.

Une analyse chronologique de ses textes sera d'une importance capitale quand, un jour, une biographie sera rédigée sur Lynda Lemay. Mais imaginez le travail. Disons cinq cents textes au cours des quinze dernières années, donc une possibilité d'autant pour les vingt prochaines. Elle sera alors bien jeune encore pour qu'on fasse sa biographie.

* * *

Sur son dernier CD, *Les lettres rouges*, Lynda aborde quelques sujets qui manifestent chez elle de nouveaux intérêts ou de nouvelles préoccupations. J'ai déjà mentionné que *J'veux bien t'aimer* est sa première véritable chanson d'amour et que *La Centenaire* touche beaucoup les admirateurs de Lynda. Mais elle y présente aussi une chanson sur la passion.

Qu'est-ce qu'une passion pour Lynda ? C'est ce qui donne du courage et ce qui donne une mission. C'est l'héritage qu'elle souhaite transmettre à sa fille.

« Donnez-lui la passion
Donnez-lui ce qui fait
Que quand tout est bidon
Quelque chose reste vrai

Donnez-lui cette flamme
Qui ne s'éteint jamais
Qui survit même aux drames
Les plus longs, les plus laids[39] »

* * *

Au cours de notre dernière rencontre formelle de travail sur ce livre, Lynda m'a fait découvrir un texte ayant pour thème, je dirais, la déchéance et l'espoir : *Un soir de semaine*. De sa voix cristalline, elle m'en a fait une lecture complète.

En voici de courts extraits :

« C'était un soir, un soir de semaine et d'caféine

Un soir où ta chaise et la mienne étaient voisines
C'était au rendez-vous des âmes abîmées
Sous des néons bègues, gênés par la fumée
C'était le soir, huit heures, au sous-sol de l'église
Là où les cœurs, tour à tour, faisaient un strip-tease
C'était au cœur d'un regroupement de grands blessés
Là où les cœurs se donnent le droit d'éclabousser [...]
C'était au carrefour des écorchés anonymes
Là où l'on partage un mal de vivre unanime»

La petite histoire se poursuit. C'était un soir de semaine. Cet homme et cette femme se retrouvaient à cet endroit parce que c'était un soir d'après rechute. Cette femme affirme que c'était un soir qui aurait pu être le dernier si les chaises avaient été autrement placées. «Un soir où ta chaise et la mienne ne faisaient qu'une.» Et tout à coup, «le clocher s'est fait foudroyer dans l'orage et on a vu les néons toussoter puis s'éteindre». Et le couple en profite pour s'étreindre.

«C'était pas exactement c'qu'on appelle un
coup d'foudre [...]
J'ignorais qu'ça s'pouvait que l'amour se développe
Quand on a sali tout c'qu'on avait d'amour-propre[40]»

En discutant de ce texte avec Lynda, j'ai bien senti que cette petite histoire contenait une dimension importante de sa conception de la vie: «Quelquefois, on en arrive à ne plus croire en rien, ni à soi ni aux autres. Mais un petit événement vient changer toute la situation et fait apparaître un peu d'espoir.»

Cela nous a amenés à discuter de certaines conceptions de la vie. Qu'est-ce qui nous anime? Peut-on encore rêver quand on touche le fond?

Mais surtout cela nous a ouvert une porte sur le monde des valeurs personnelles et collectives.

Quelles sont les valeurs qui animent Lynda Lemay?

Pourquoi sont-elles importantes pour elle?

Quelles sont les valeurs qui lui sont plus naturelles?

Rejoignent-elles ses fans?

Avant d'aller plus loin dans toutes ces questions, il me semble important de préciser certaines choses qui concernent les valeurs. Sans cela, nous risquons la confusion la plus complète. Je me permets ici de résumer les éléments clés. La lectrice ou le lecteur qui aimerait aller plus loin dans cette réflexion pourra consulter d'autres textes que j'ai écrits sur le sujet.

* * *

Quels sont mes intérêts dans le domaine des valeurs?

Avant tout, je m'intéresse aux valeurs personnelles et collectives. J'aime aussi cerner l'univers axiologique[41] d'une personne en tentant de nommer les valeurs qui sont des références déterminantes pour la conduite de sa vie. La description d'un tel univers peut s'appliquer aussi à l'œuvre de quelqu'un, comme elle peut s'appliquer à une organisation ou même à une société.

Qu'est-ce qu'une valeur? Une valeur est avant tout ce qui vaut pour la personne, mais qui, en plus, inspire sa vie et la conduite de celle-ci. Les valeurs sont des mots clés: l'autonomie, la liberté, la démocratie, l'autoritarisme, la responsabilisation, la compétition, la rivalité, l'individualisme, la coopération, le partage, la solidarité, la soumission, la dépendance, la compassion, la sollicitude, la magnanimité, la productivité, l'altruisme, la tolérance, le respect de soi, le respect des autres, l'interdépendance, le respect de l'autorité, la dépendance…

Dans la vie, il existe une tension permanente entre les valeurs de préférence et les valeurs de référence. La valeur/référence est celle qui est intégrée à notre personne. Elle est intérieure et elle inspire nos gestes et nos décisions. Elle a plus de profondeur qu'une valeur/préférence en ce sens qu'elle fait partie de nous-mêmes. Cela ne signifie pas qu'il ne puisse pas y avoir une adéquation, une cohérence entre la valeur/préférence et la valeur/référence, mais l'on observe habituellement que les préférences sont beaucoup plus larges et généreuses que ce que l'on assume dans nos gestes quotidiens.

La valeur/référence est plus exigeante que la valeur/préférence. Elle est plus observable dans les faits et elle est le signe de notre situation actuelle sur le plan de notre croissance personnelle. Elle nous permet de nous analyser dans une plus juste perspective. Elle nous centre davantage sur notre réalité, alors que la valeur/préférence peut nous tromper, nous illusionner.

L'idéal est de vivre proche de ses valeurs naturelles, lesquelles procurent harmonie et équilibre, donc plus de cohérence.

* * *

Quelles sont les principales caractéristiques des valeurs naturelles ?

- Les valeurs naturelles s'associent à l'aisance et au confort.
- Elles se vivent « sans résistance intérieure majeure ».
- Elles sont intégrées, parce qu'elles sont à la fois des préférences et des références, donc des valeurs complètes.
- Les valeurs naturelles sont si profondément intégrées chez la

personne qu'elle n'a pas d'effort à faire pour les actualiser. Elles vont de soi. Elles ne nécessitent pas de courage ni de volonté. Elles sont dans la nature même de la personne.

- Elles sont rarement remises en question, même dans les périodes troubles de la vie.
- Les valeurs ne sont pas naturelles à la personne quand les gestes qui en découlent deviennent une corvée pour celle-ci. Plus les valeurs sont artificielles pour la personne, plus la résistance intérieure augmente. Et il faut alors à cette personne beaucoup de volonté et beaucoup d'effort pour vivre de telles valeurs.

****

Quelle est la source des valeurs naturelles?

Ces valeurs ne sont pas innées, mais tout laisse croire qu'elles se construisent et qu'elles se consolident avant le début de la vingtaine. C'est ce que j'ai nommé dans certains ouvrages «la case départ». Par la suite, la vie nous amène dans plusieurs directions au fil des événements et des décisions. Mais le bonheur et la sérénité passent inévitablement par un retour à ces valeurs naturelles, du moins à un retour à quelque chose qui s'en rapproche.

Je conseille souvent aux personnes qui se disent confuses par rapport à leurs valeurs de faire un retour introspectif sur leurs rêves d'avant la vingtaine, de s'en servir comme levier pour relancer leurs projets de vie et d'objectiver leur vie actuelle afin de prendre les décisions appropriées.

Les rêves non réalisés que nous avions à cette époque sont souvent à redécouvrir et à mettre en œuvre quand nous souhaitons une vie plus conforme à nos aspirations.

* * *

Avant de passer au prochain chapitre, afin de vous familiariser avec les concepts que je viens de vous présenter, il serait intéressant d'essayer de les appliquer.

Remplissez tout simplement la grille suivante :

En utilisant cette liste de valeurs et en la complétant si nécessaire, essayez de nommer les valeurs qui vous inspirent personnellement et celles qui inspirent Lynda. Quelques valeurs : l'autonomie, la liberté, la démocratie, l'autoritarisme, la responsabilisation, la compétition, la rivalité, l'individualisme, la coopération, le partage, la solidarité, la soumission, la dépendance, la compassion, la sollicitude, la magnanimité, la productivité, l'altruisme, la tolérance, le respect de soi, le respect des autres, l'interdépendance, le respect de l'autorité, la dépendance...	
Quelles sont les valeurs qui vous animent et qui vous inspirent ? Un maximum de six valeurs :	Selon vous, quelles sont les valeurs qui animent et qui inspirent Lynda ? Un maximum de six valeurs :
__________	__________
__________	__________
__________	__________
__________	__________
__________	__________
__________	__________

Donnez des détails de votre vie qui démontrent votre attachement à ces valeurs :	Donnez des détails de son œuvre ou de sa carrière qui démontrent son attachement à ces valeurs :

Quelles sont vos constatations ?

14 Les valeurs naturelles de Lynda Lemay

Maintenant une confidence.

En contactant Lynda Lemay pour l'informer de mon projet de livre, j'étais confronté à l'ambiguïté suivante: j'avais l'assurance que cette créatrice devenait un véritable phénomène, mais je la voyais aussi comme une femme fragile, blessée par les expériences difficiles qu'elle avait vécues au cours des dernières années.

Je la percevais donc comme un phénomène, mais fragile. Je me demandais même si les personnalités exceptionnelles que sont les phénomènes ne sont pas nécessairement des personnes fragiles. N'avais-je pas intitulé ma biographie d'Yvon Deschamps, *Un aventurier fragile*?

La journée même où nous avons commencé à discuter plus en profondeur des valeurs, Lynda m'a chanté *Les petites âmes roses.* Un choc, tout simplement.

Écrite en 1999, cette chanson m'apparaît comme un texte de transition entre deux états: celui d'une personne blessée par un amour brisé et celui d'une personne décidée à se prendre en main. Autrement dit, tu restes blessé pour la vie en te torturant et en t'apitoyant sur ton sort ou tu prends la décision de passer à autre chose. Bien évidemment, cette attitude n'élimine pas la blessure, mais au moins permet-elle de progresser.

> «Puis j'ai mis ma petite âme
> en quête d'un beau grand amour
> Ce fut mon grand défi de femme
> Et la faille de mon parcours [...]
> Je ne savais pas la douleur que ça cause
> Quand la vie broie les petites âmes roses
> Quand le bel univers explose [...]
> Je sais maintenant la douleur que ça cause
> Quand la vie broie les petites âmes roses
> Maintenant, la terre entière me terrorise
> Quand je promène ma petite âme grise[42]»

Depuis quelques rencontres, je me retrouve en face d'une femme affirmative qui exprime ce qu'elle veut et qui sait ce qu'elle ne veut plus. Et elle l'énonce clairement, sans détour. En ce sens, son honnêteté et sa transparence sont constantes. Mais en même temps, dans sa manière de parler de certaines choses, on sent qu'une blessure ne s'est jamais totalement refermée et qu'elle ne se refermera probablement jamais. C'est cela, une âme qui «change de couleur».

«Voilà, tout est dit», ai-je simplement constaté à la fin de son interprétation.

* * *

Dans le projet que j'avais présenté à Lynda, il était clair que toute la démarche aboutirait à une réflexion sur les valeurs. Dans nos rencontres précédentes, je l'avais questionnée sur des dimensions que je jugeais nécessaires pour l'avancement de mon travail. Cette fois, nous avons plutôt choisi le mode de la conversation autour de quelques valeurs que j'avais repérées ou que j'avais retenues de mes échanges avec des fans. Ceux-ci décèlent trois valeurs principales chez Lynda et dans son œuvre : la famille, le partage d'émotions et de sentiments et l'honnêteté.

Parmi nos valeurs, il y a celles qu'on croit avoir et il y a celles que les autres voient en nous. Il peut y avoir des écarts entre les deux perceptions.

À l'écoute de l'enregistrement de nos échanges, j'ai retenu des phrases clés qui, je crois, définissent bien la position de Lynda sur certaines valeurs qui lui sont personnelles. Je vous livre ici la synthèse de ces discussions.

« Je ne recherche pas la liberté. Elle m'est naturelle. Je l'ai. Je l'exerce. »

« J'ai peut-être l'air un peu sage, mais j'aime bien prendre des libertés. »

« Depuis quelques années, je fais tout pour prendre en main ma vie professionnelle. Dans toute la mesure du possible, je veux faire les choses à ma manière. »

« Dans ma carrière, il est important que je puisse choisir. Quelquefois, je me bats pour conserver cette possibilité. »

« Je ne veux pas devenir une grande star, mais je veux continuer à faire ce que j'aime. »

« Je découvre que la fidélité est de plus en plus importante pour moi. »

« Je me sens très proche de ceux qui souffrent du jugement des autres. »

« La famille est et demeurera une valeur sécurisante pour moi. »

* * *

Y a-t-il certaines valeurs qui sont naturelles chez elle ?

1. C'est sur le sujet de **la liberté** que nous avons eu la discussion la plus longue. Je crois qu'elle a été surprise que je lui parle de recherche de la liberté. Elle me disait qu'elle ne la recherchait pas, donc qu'il ne s'agissait pas d'une quête.

   « Je l'ai. Je l'exerce. » Ainsi affirmée, cette valeur est à la fois un droit et un devoir.

   Évidemment, pour une créatrice, la liberté prend aussi la forme de la liberté d'expression. La chanteuse l'assume dans sa création comme elle l'assume dans sa vie. « Je ne me censure pas. Je dis ce que j'ai à dire. Je travaille sur les sujets qui me préoccupent. »

   Il y a donc chez Lynda une liberté assumée. Elle se permet aussi de prendre des libertés : « J'ai l'air un peu sage, mais j'aime bien prendre quelquefois des libertés avec la normalité. Ça fait du bien et ça permet d'avoir quelque chose de plus comme expérience. »

   Cette dimension un peu rebelle qui permet de prendre des libertés avec la normalité, a soulevé plusieurs interrogations chez certains fans. Je vous livre ici la plus significative.

La question :

« Dans votre feuillet explicatif de la démarche, vous mentionnez les bienfaits d'entretenir une certaine rébellion ou une certaine délinquance. Je ne vois vraiment pas comment cela peut s'appliquer à Lynda Lemay, qui ne me semble pas être une rebelle ou une délinquante. Par contre, il est vrai qu'elle traite de ce thème dans plusieurs de ses chansons. Veuillez m'éclairer parce que j'ai de la difficulté à saisir votre outil de travail. » Daniel, de Jonquière.

La réponse :

Chaque fois qu'on refuse la soumission et la docilité, on est un peu rebelle. On l'est également quand on refuse de se mouler à certaines valeurs que d'autres cherchent à nous imposer. Être rebelle ne signifie pas être hostile à tout ou être en guerre avec des personnes ou des idées. Cela signifie que l'on tient à son point de vue, malgré les conséquences que cela peut entraîner.

2. Progressivement, **l'autonomie** devient une valeur de référence pour Lynda. Ayant repris sa carrière en main, elle est heureuse de cette initiative qui lui permet d'agir, le plus souvent possible, à sa manière. Elle est évidemment bien entourée et bien conseillée. Elle garde la maîtrise du développement de sa vie artistique. Elle est consciente que ce choix multiplie les responsabilités, mais, en contrepartie, il y a moins de pression de tout un chacun.

   En ce sens, Lynda est devenue une entrepreneure.

3. Nous avons eu de la difficulté autour de la valeur « compassion », qui semblait définir l'attitude de Lynda envers les autres. Nous avions un problème de définition. Il est apparu que l'empathie se rapprochait davantage de ce

qu'est Lynda, mais c'est plus une faculté psychologique qu'une valeur. Elle a effectivement cette capacité « de se mettre à la place d'autrui, de percevoir ce qu'il ressent ». C'est certes une forme de **respect de l'autre** qui consiste à avoir de la considération pour celui-ci, ce qui implique une sensibilité et une attention à ce qu'il est.

Chez Lynda, la valeur « respect de l'autre » passe par l'empathie et par l'attention. C'est ce que ses fans apprécient le plus chez elle.

Elle va encore plus loin dans le respect de l'autre. « Je me sens très proche de ceux qui souffrent du jugement des autres » est une affirmation de Lynda qui ne m'a pas étonné. Elle comprend ce type de souffrance puisqu'elle l'a vécue à une certaine époque où sa vie personnelle et sa vie professionnelle étaient tellement publiques que le jugement de valeur l'emportait sur le jugement critique.

4. Le **temps** obsède Lynda. Le temps qui passe, le temps qui fait vieillir, le temps mauvais des jours malheureux, le bon temps qu'on passe seul ou en agréable compagnie, les effets du temps sur le corps et sur l'esprit, la course au temps dans la vie actuelle, la vie minutée…

   Quand le temps devient une valeur, c'est qu'il est de plus en plus une référence déterminante pour la conduite de sa vie. Il y a tellement de manières de vivre le temps dans sa vie personnelle : prendre le temps de vivre ses rêves, prendre du temps pour soi, prendre du temps pour s'occuper des siens, prendre du temps pour développer sa carrière, prendre le temps de goûter à la vie, prendre tout son temps, prendre le temps pour de l'argent…

Lynda constate que le temps manque toujours quand on est passionné.

Et la culpabilité naît souvent de cette obsession du temps.

Elle affirme que c'est souvent son cas.

5. La valeur «**famille**» est une autre valeur naturelle pour Lynda. Cela semble évident quand on connaît un peu son œuvre et qu'on connaît aussi ses préoccupations. Beaucoup d'autres valeurs se transmettent dans la famille, qui est également une institution sociale.

   La famille est une valeur, mais elle est aussi un lieu de construction de valeurs. Celles-ci sont reliées au type d'éducation que les parents donnent à l'enfant.

   Aujourd'hui, Lynda se rend compte que l'éducation d'un enfant pose le problème des valeurs. «Maman, c'est toi la mère, alors décide»: cette demande de sa fille l'a surprise. Alors qu'elle souhaitait que sa fille choisisse, celle-ci réclame qu'on lui impose une décision. On apprend aussi à gérer cela dans une famille.

6. **La fidélité** à soi est une autre valeur naturelle pour Lynda. La fidélité aux valeurs et aux convictions qui nous inspirent se rapproche de la valeur «**honnêteté**» qui s'exerce envers soi-même et envers les autres. Ces deux valeurs combinées ont leurs exigences propres. Afin d'en arriver à les vivre, il faut une bonne connaissance de son univers axiologique ainsi qu'un désir de cohérence dans ses valeurs.

   En bref:

   «Je fais ce que j'aime.

   Je suis qui je suis.

   Et j'assume» déclare Lynda.

15 L'avenir

Lynda est déterminée à mener sa carrière à sa manière et à son rythme, mais il est évident aussi que ses succès actuels l'entraînent dans un tourbillon difficile à contrôler. Les propositions viennent de partout. Il devient alors essentiel pour elle d'avoir des repères afin de choisir adéquatement. Et c'est sans compter tous les projets personnels qu'elle aimerait mettre en œuvre.

Elle a fait beaucoup de chemin depuis qu'elle a quitté son milieu familial en 1989 afin de faire carrière dans le milieu artistique. Le parcours présenté à la fin de cet ouvrage permet d'en prendre conscience.

Qu'on l'apprécie ou non, il n'en demeure pas moins que ses réalisations sont particulièrement étonnantes. Qu'il suffise de mentionner toutes ses représentations à guichets fermés à l'Olympia de Paris depuis deux ans ou encore les ventes de ses albums qui défient toutes les lois du marché du disque.

* * *

Quels sont ses principaux défis ?

1. À son propre avis, son défi principal consiste à gérer une vie très stimulante mais singulièrement compliquée : une enfant d'âge scolaire en garde partagée avec un père artiste qui, lui aussi, mène une brillante carrière; elle qui travaille sans cesse sur deux continents et ayant un amoureux, lui aussi artiste réputé, mais vivant de l'autre côté « de cette rue-là que l'on appelle l'océan »; et elle qui assure avec des membres de sa famille la gestion complète de ses affaires. Sans oublier sa priorité de donner du temps de qualité à ses proches, notamment à sa fille quand elle en a la responsabilité.

   Dans un tel contexte, la valeur « interdépendance » prend toute son importance. Au début de l'été dernier, elle me disait qu'une des raisons qui la poussait à faire un arrêt cet l'automne était justement d'arriver à harmoniser tous ces agendas différents.

2. Elle devra aussi apprendre à collaborer avec d'autres si elle accepte d'écrire pour eux. Jusqu'à ce jour, elle a pratiquement toujours créé en solitaire. Elle a développé des manières de faire qui s'adaptent bien à sa personnalité et à ses habiletés. Sauf pour la plupart des chansons humoristiques, je ne crois pas que l'univers lemayen soit accessible à n'importe quel interprète.

   Il y aura nécessairement une adaptation importante à réaliser. Lynda devra « entrer dans les têtes de ses nouveaux interprètes ».

3. Ses projets personnels de création sont multiples. Elle songe à mettre de l'ordre dans ses cahiers noirs afin d'en publier des parties. Elle pense rédiger un recueil de nouvelles. Elle a

déjà commencé l'écriture d'un théâtre musical. Elle ne délaisse pas l'idée, datant de la fin de son adolescence, d'écrire un roman.

Parmi tous ces projets, on sent bien que l'écriture est très importante pour Lynda.

« Prenez mon cœur
Prenez mon âme
Mais ne prenez pas ma main droite
Elle qui écrit mieux que j'vous aime
Elle qui traduit mes silences
Prenez ma voix
Prenez la scène
Mais ne prenez pas ma main droite
C'est elle qui touche à vos cordes
Les plus sensibles et les plus lourdes[43] »

Lynda Lemay, le 1er août 1996,
dans un jour de silence.

4. Elle se crée sans cesse de nouveaux défis. Elle a acquis la conviction que ses chansons s'adapteraient bien à la langue italienne. Elle songe en faire traduire un certain nombre afin de tester cette idée. Elle produira en outre le CD d'une de ses amies.

5. Lynda se pose une question fort importante quand elle envisage l'avenir. En sachant que sa carrière prendra de plus en plus d'ampleur, pourra-t-elle demeurer toujours aussi proche de ses fans ? N'y aura-t-il pas des impératifs qui viendront modifier cette relation privilégiée ? Par exemple,

que fera-t-elle si les séances d'autographe deviennent intenables? Déjà, certains soirs, la séance de signature est pratiquement aussi longue que le spectacle lui-même. Est-ce que les fans comprendront la nouvelle situation si elle ne donne plus ces séances?

6. On peut se demander si elle sera capable de demeurer bien longtemps sans faire de scène. Elle travaille avec des musiciens complices. Ceux-ci sont connus et appréciés des fans. Avec le temps, Lynda et ses musiciens ont développé des rituels qui renforcent le sentiment d'appartenance.

   Pourra-t-elle se passer longtemps de l'enthousiasme de celles et ceux qui assistent à ses concerts? Pourra-t-elle se passer longtemps de sa marmaille?

   Lynda entre sur scène comme elle entre à la maison. On la sent heureuse.

   « Suffit d'un projecteur / Je suis un arc-en-ciel »

Lettre ouverte en guise d'épilogue

Chère Lynda,

Il me reste maintenant une dernière étape à franchir afin de terminer ce projet d'écriture qui n'en sera plus un bientôt. Je te remettrai sous peu ce livre. À ce jour, tu n'en as lu qu'une trentaine de pages avant de partir pour donner tes derniers concerts de la présente tournée européenne.

Quand tu reviendras, le livre sera imprimé. Et j'attendrai avec impatience tes réactions globales. En le lisant, tu découvriras quelques motifs qui m'ont poussé à réaliser un tel projet. À ce que tu liras dans d'autres chapitres, j'ajoute que nous, essayistes, avons besoin de rafraîchir notre écriture si « on ne veut pas crouler sous les concepts » et sous les analyses. À ton contact, j'ai eu l'impression qu'on travaillait tous deux sur les mêmes thèmes, mais avec une approche totalement différente. Cela a été très stimulant. Le ton que j'ai utilisé dans ce livre doit beaucoup à ton propre style d'écriture.

Travailler avec des artistes et des créateurs est une garantie de progression. C'est pour cette raison que je publie deux livres cet automne. L'un qui présente une vaste réflexion sur les valeurs et l'autre que je considère comme une application concrète du premier. Cette année, j'ai travaillé avec toi, l'an prochain un autre créateur fera l'objet d'un semblable récit.

Moi aussi, je suis fier de la relation de confiance et de collaboration que nous avons développée dans la simplicité.

« Je suis fière de ce que je fais. Et la fierté est un beau sentiment », m'as-tu dit au cours d'une de nos premières rencontres.

Je peux affirmer que je suis également fier qu'on ait réalisé ce projet ensemble. Cependant, je tiens à préciser que je me sens totalement responsable des imperfections de ce travail, puisque tu n'as participé d'aucune façon à la rédaction.

Aujourd'hui, je croule moins sous les concepts qu'hier. Mais je suis toujours persuadé qu'ils sont utiles.

Au cours de notre dernière rencontre, nous avons calculé à quel moment je pourrais faire ta biographie. Dans vingt-quatre ans, si je respecte la règle que je me suis imposée. Dans dix-neuf ans, si j'y déroge un peu.

« Tu verras, mon histoire va finir par faire une bien belle histoire », m'as-tu dit.

Je crois bien que je vais déroger à ma règle de base… dans dix-neuf ans.

J'espère cependant que nous aurons d'autres projets en commun d'ici là.

Affectueusement.

Claude Paquette
Le 25 septembre 2002.

Remerciements

À Lynda Lemay, pour son accueil, pour sa disponibilité et pour sa lumière.

À Diane et France Lemay ainsi qu'à Nathalie Cantin et Chantal Masse des Productions Calimero. Sans elles, ma tâche aurait été beaucoup plus compliquée.

À Manon Doucet, webmestre du site officiel, pour sa précieuse et compétente collaboration : www.lyndalemay.com

À Francis Deshayes (www.lynda-lemay.com) et à Olivier Bellon (www.lynda-lemay.net) qui ont accepté de faire circuler de l'information sur ce projet.

À toutes les admiratrices et à tous les admirateurs de Lynda Lemay qui ont accepté de témoigner dans le cadre de cet ouvrage. Votre sens du partage et de l'échange démontre bien que vous êtes des personnes de qualité.

Évidemment, j'aurais aimé citer tous ces fans, mais cela est évidemment impossible.

Merci ! Merci ! Merci !

Notes et références :

1 Qu'est-ce qu'une autographie ? L'écrivain Dominique Noguez explique le sens de ce mot qui est suffisamment neuf pour être encore confus : « Par autographie, j'entends tout texte où l'on parle à la première personne, de l'autobiographie au journal intime, des *Essais* de Montaigne aux *Mémoires d'outre-tombe*, c'est-à-dire tout texte où celui qui parle est l'objet de son livre, et fait savoir explicitement ou implicitement qu'il dit la vérité. Une littérature du Je qu'il ne faut pas confondre avec l'autofiction, sorte de fiction de soi-même. » Il ajoute : « Ce genre connaît aujourd'hui une vogue certaine. Pourquoi, je ne sais pas. Mais tout se passe comme si ce type d'écrits, avec leur force de vérité et de réalité brutes, périmait un peu ce qui est de l'ordre de la fiction, procurait un sentiment de griserie que celle-ci ne parvient plus à donner. » L'écrivain Jacques Chessex exprime son désir d'aborder le genre : « J'ai envie d'une chronique ininterrompue de moi-même bien plus que de la fiction ou du journal. »

2 Journaliste en poste en France et correspondant pour le journal *La Presse*, Louis-Bernard Robitaille s'exprime ainsi à la suite de la prestation de Lynda Lemay aux Victoires du 9 mars 2002.

3 Dans *Le Point* du 19 avril 2002.

4 Pierre Bourgault dans *Le Journal de Montréal* du 11 mars 2002.

5 Extrait de *La centenaire*, 3 janvier 2001.

6 Il s'agit du livre *Pour que les valeurs ne soient pas du vent*, éditions Contreforts, 2002.

7 Rassurez-vous, à la rencontre suivante et à ma demande, Lynda m'a spontanément enregistré cette chanson.

8 Extrait de *C'est un rêve*, 4 juin 2001. Texte inédit.

9 Pour une explication plus en profondeur de ces concepts et pour des exemples d'outils d'analyse personnelle, voir les ouvrages suivants: *Pour que les valeurs ne soient pas du vent*, 2002 et Analyse de ses valeurs personnelles paru en 1982.

10 Extrait de *Dans mon jeune temps.*

11 Extrait de *Nos rêves.*

12 Extrait de *Je suis grande.*

13 Extrait de *Mon nom.*

14 Extrait de *Le plus fort c'est mon père.*

15 Extrait de *Les souliers verts.*

16 Extrait de *Ceux que l'on met au monde.*

17 Extrait de *Le funeste collier.* © Les éditions Hallynda. Texte reproduit avec l'autorisation de l'éditeur.

18 Extrait de *Montre-moi.*

19 Extrait de *Paul-Émile a des fleurs.*

20 Dans l'ouvrage *Pour que les valeurs ne soient pas du vent*, je présente des analyses plus en profondeur de ce qu'est un dilemme axiologique.

21 Extrait de *Ailleurs.*

22 Extrait de *La veilleuse.*

23 Extrait de *Du mieux qu'on peut*, texte inédit de 1994.

24 Extrait de *Veille sur moi*, texte de Lynda Lemay et musique de France D'Amour.

25 Extrait de *Jouer aux anges*, texte inédit de 1999.

26 Extrait de *S'il n'y avait rien après*, texte inédit de 1998.

27 Extrait de *C'est comme ça.*

28 Extrait de *Macédoine.*

29 Extrait de *Alphonse.*

30 Extrait de *Bande de dégonflés.*

31 Extrait de *Bande de dégonflantes.*

32 Extrait de *Crétin.*

33 Extrait de *Gros colons.*

34 Extrait de *Les maudits Français.*

35 Paroles de Laure Boulaud.

36 Paroles de Maud Le Pivaing.

37 J'ai décidé de mettre les deux versions de *La plus forte c'est Lynda* parce qu'elles sont révélatrices de plusieurs impressions à la fois différentes et complémentaires du travail de Lynda.

38 Paroles de Chantal Dugas.

39 Extrait de *Donnez-lui la passion.*

40 Extraits de *Un soir de semaine.* Texte inédit.

41 Axiologie : Étude de « ce qui vaut ». Étude des systèmes de valeurs et de leurs effets sur les personnes et sur les organisations.

42 Extrait de *Les petites âmes roses.* Texte inédit.

43 Extrait de *Ma main droite.* Texte inédit de 1996.

Mon frère   C-2

C'est toi qui as nagé
Dans ma seule rivière
C'est toi qui as sauté
Par dessus mes barrières

Toi qui as mis le pied
Dans ma vierge forêt
Sur des sentiers privés
Sur des chemins secrets

T'es venu t'égarer
Sur mes arpents de rêves
T'es venu t'abreuver
A ma première sève

T'as forcé à la cachette
D'une drôle de manière
T'as triché, je regrette
Qu'est-ce qui t'a pris, mon frère

C'est toi qui as frayé
Ce défendu passage
Toi qui as regardé
Fleurir mon paysage

(à suivre)

tu t'es approprié
Collines et vallées
Mes ombres et mes lumières
Qu'est-ce qui t'a pris, mon frère

C'est toi qui as reçu
Mes pluies et mes sanglots
Je te revois, pieds nus
Jouer dans mes flaques d'eau

C'est toi qui as enfoui
Dans mon coeur et ma terre
Cette honte qui grandit
Qu'est-ce qui t'a pris, mon frère

D'accord, tu ne viens plus
Nager dans ma rivière
Et tu ne sautes plus
Par dessus mes barrières
Mais il flotte toujours
L'odeur trop familière
De ce jeu de l'amour
Que j'apprenais à faire
S'il existe un sentier
Pour revenir en arrière
Tu m'en as tant montré
Montre-le moi, mon frère!

P. Lenoir
13-06-93

Annexes

Parcours professionnel de Lynda Lemay

Septembre-octobre 2002

Du 23 septembre au 6 octobre, douze spectacles à guichets fermés à l'Olympia de Paris

Trois nominations pour le gala de l'ADISQ.

Juillet 2002

Carte blanche aux Francofolies de Montréal.

Juin 2002

L'album *Les lettres rouges* de Lynda Lemay est # 1 au Palmarès des ventes francophones au Québec pour une durée de huit semaines consécutives et cela, dès sa sortie.

Mai 2002

Lancement au Québec de l'album *Les lettres rouges.*

Avril 2002

Sortie en France de l'album *Les lettres rouges.* L'album fait son entrée directement en 1re position des ventes.

Novembre 2001

Supplémentaires à l'Olympia de Paris, six soirs à guichets fermés.

Juillet 2001

Sortie de l'album *Nos rêves* en France.

Tournée en France et un concert sur la grande scène du Paléo Festival en Suisse.

Avril 2001

Fin d'une tournée de 50 dates à guichets fermés en Europe dont six soirs à l'Olympia de Paris.

Octobre 2000

Lancement de l'album *Du Coq à l'âme.*

Début de la nouvelle tournée *Du coq à l'âme.*

Juillet 2000

Dernière prestation de sa tournée à la salle Wilfrid Pelletier de la Place des Arts, dans le cadre des Francofolies de Montréal.

Juin 2000

Tournée de concerts à guichets fermés en Suisse dont trois soirs au Festival Pully à l'heure du Québec, un soir aux Francomanias à Bulle et un soir à Lutry.

Avril 2000

L'album Live est # 1 dans le top ventes francophone en France, # 2 dans le top meilleurs vendeurs et # 1 dans le top FNAC (la plus grosse chaîne de magasins de disques en France). Plus de 300 000 copies de l'album *Live* ont été vendues en France jusqu'à maintenant.

Novembre 1999 à avril 2000

Tournée européenne de 52 dates à guichets fermés dont le Bataclan à Paris le 6 décembre 1999 et l'Olympia les 3, 4 et 10 avril 2000.

Septembre 1999

Retour sur les scènes de Québec et de Montréal.

Avril 1999

Lancement de l'album *Live* en France, en Suisse et en Belgique.

Concert au printemps de Bourges.

Tournée de promotion et de spectacles dans les magasins FNAC en France.

Mars 1999

Présentation de quatre chansons à la « Soirée Télérama ».

Présentation de quatre chansons à « La chance aux chansons ».

Janvier 1999

Lancement du quatrième album *Live.*

Décembre 1998

Fin de 42 représentations du spectacle de la tournée 1998-1999 au théâtre l'Européen à Paris.

Juillet 1998

Lancement de l'album éponyme au Japon.

Juin 1998

Concert au Festival Pully à l'heure du Québec, en Suisse.

Mars 1998

Première du spectacle de la tournée 1998-1999.

Février 1998

Lancement du troisième album Lynda Lemay au Canada.

Janvier 1998

Lancement de l'album éponyme en France.

Présentation du spectacle de la tournée 1998-1999 au Sentier des Halles à Paris,

12 représentations à guichets fermés.

Avril 1997

Enregistrement du troisième album *Lynda Lemay* au Studio Méga, en banlieue de Paris.

Décembre 1996

Fin de la tournée Y au Capitole de Québec après plus de 200 représentations.

Entente avec la prestigieuse maison d'édition européenne, les *éditions Raoul Breton*, propriété de Charles Aznavour.

Juillet 1996

Participation au Festival de jazz à Montreux en Suisse, lors d'un hommage à Charles Trenet.

Mai 1996

Présentation de son spectacle Y, durant cinq jours consécutifs, à la salle du Sentier des Halles de Paris.

Avril 1996

Première partie de Serge Lama au Festival chorus des Hauts-de-Seine.

Octobre 1994

Première du spectacle *Y* à la salle du Gésu à Montréal, trois soirs à guichets fermés.

Mai 1994

Lancement du deuxième album *Y*.

1990

Lancement du premier album *Nos rêves.*

Prix et distinctions

Juillet 2002

L'album *Les lettres rouges* est certifié « Platine », 300 000 copies vendues en France.

Juin 2002

L'album *Les lettres rouges* est certifié « Double or », 200 000 copies vendues en France.

Les lettres rouges, Du coq à l'âme et *Live* (enregistré au Capitole de Québec) sont tous les trois certifiés « Or » en Suisse.

Avril 2002

À peine une semaine après sa sortie, l'album *Les lettres rouges* est certifié « Disque d'or ».

Mars 2002

Nomination aux Victoires de la Musique en France dans les catégories « Interprète féminine de l'année » et « Spectacle musical ou tournée de l'année ».

Février 2002

Pour la quatrième année consécutive, nomination au gala des Junos à Toronto, cette fois dans la catégorie « Meilleur vendeur album francophone » pour l'album *Du coq à l'âme.*

Janvier 2001

Nomination aux Victoires de la Musique en France dans la catégorie « Interprète féminine de l'année ».

Nomination au gala des Junos à Toronto dans les catégories « Meilleure interprète féminine » et « Album de l'année-meilleure pochette ».

Octobre 2000

Gagnante du Félix « Artiste québécois s'étant le plus illustré à l'étranger » au gala de l'ADISQ.

Mars 2000

Certification « Or » pour l'album *Live* en France, 100 000 copies vendues.

Février 2000

Nomination aux Victoires de la Musique en France dans la catégorie « Révélation de l'année ».

Nomination au gala des Junos à Toronto dans les catégories « Album francophone de l'année-meilleur vendeur » et « Meilleure artiste féminine ».

Octobre 1999

Nomination au gala de l'ADISQ dans deux catégories : « Album populaire de l'année » et « Artiste s'étant le plus illustré à l'étranger ».

Septembre 1999

Récipiendaire du prix *Lucien Barrière* lui permettant de promouvoir la tournée européenne.

Mai 1999

La salle de spectacle du Moulin Marcoux à Pont-Rouge s'appellera désormais la salle Lynda-Lemay.

Mars 1999

Nomination au gala des Junos à Toronto dans deux catégories.

Février 1999

Certification « Or » pour l'album *Live.*

Novembre 1998

Lauréate du Félix « Interprète féminine » au gala de l'ADISQ, choix du public.

Nomination au gala de l'ADISQ dans six catégories.

Février 1998

Certification « Or » pour l'album Lynda Lemay, dix jours après sa sortie.

Décembre 1997

Certification « Double platine » pour l'album *Y*, 200 000 copies vendues.

Avril 1996

Lauréate du « Prix spécial du Conseil Général » et du « Prix du public » pour sa performance au 13ième Festival chorus des Hauts-de-Seine en France.

Janvier 1996

Certification « Platine » pour l'album *Y*.

Novembre 1995

Nomination au gala de l'ADISQ dans sept catégories.

Septembre 1995

Lauréate de la « Bourse Internationale CFGL » de 25 000 $ qui lui permettra de faire rayonner son talent à l'extérieur du pays.

Juillet 1995

Lauréate du prix « Sentier des Halles » pour sa performance aux Francofolies de La Rochelle en France. Ce prix lui permettra de présenter son spectacle *Y* durant cinq soirs consécutifs à la salle du Sentier des Halles de Paris, au printemps 1996.

Mai 1995

Certification « Or » pour l'album *Y*.

Mars 1995

Nomination au gala des Junos à Toronto dans la catégorie « Album francophone de l'année-meilleur vendeur ».

1989

Lauréate du prix « Auteur-Compositeur-Interprète » au Festival de la Chanson de Granby.

Discographie de Lynda Lemay

2002 *Les lettres rouges* **(WEA)**

(Concert enregistré à l'Olympia de Paris)

Du coq à l'âme / Maudite prière / J'veux pas de chien / J'veux bien t'aimer / J'aime la pêche / La Centenaire / Macédoine / Donnez-lui la passion / La Cassette vidéo / Un homme de 50 ans / le 29 août 2000 au théâtre Saint-Denis / Va rejoindre ta femme / L'enfant aux cheveux gris / Gros colons / Les deux hommes / Bande de dégonflés / Ma plus belle déception / Cours de Québécois

2000 *Du coq à l'âme* **(WEA)**

Un truc de passage / Roule-moi / J'ai battu ma fille / La lune et le miel / Je suis grande / Crétin / Mon nom / Bande de dégonflés / Ailleurs / Les mains vides / C'est comme ça / Gronde / La place au sous-sol / Les maudits Français

1999 Lynda Lemay *Live* **(WEA)**

Je voudrais te prendre / Décevoir / Ma chouette / Alphonse / L'incompétence / Les filles seules / Époustouflante / Le plus fort c'est mon père / La marmaille / Ceux que l'on met au monde / Des pieds et des mains / Chéri, tu ronfles / La visite / Les souliers verts / Dans mon jeune temps / Au nom des frustrés

1998 *Lynda Lemay* **(WEA)**

Je voudrais te prendre / À l'heure qu'il est / La marmaille / Paul-Émile a des fleurs / Les filles seules / Les souliers verts / Chaque fois que le train passe / Accrocher mon cœur / La louve / Comme si tu étais moi / Pourquoi tu restes?

1996 *Lynda Lemay* **(WEA) (édition européenne)**

La visite (en spectacle) / Le plus fort c'est mon père (en spectacle) / Jamais fidèle / Semblant de rien / Montre-moi / Drôle de mine (en spectacle) / La veilleuse (en spectacle) / Berceuse pour adultes / L'œil magique / On m'a fait la haine

1995 *La visite* **(WEA) (mini-album non disponible en Europe)**

(Enregistré en spectacle)

La visite / Le plus fort c'est mon père / Drôle de mine / La veilleuse

1994 *Y* **(WEA) (non disponible en Europe)**

Jamais fidèle / Drôle de mine / Montre-moi / Le plus fort c'est mon père / C'est vendredi / On m'a fait la haine / J'ai jamais dit / L'œil magique / Semblant de rien / Berceuse pour adultes

1994 *L'entrevue* **(WEA)**

(disque promotionnel – non disponible sur le marché)

Jamais fidèle / Drôle de mine (en spectacle) / Le plus fort c'est mon père (en spectacle) / La visite (en spectacle) / Entrevue

1990 *Nos rêves* **(WEA)**

(disponible en Europe depuis juillet 2001)

Entre vous deux / Il y aura toujours / Femme d'un « sex symbol » / Je parle flou / L'adolescent X / Nos rêves / L'abri / Le petit mot / La veilleuse / Madame Brigitte Bélanger / Jolie prison

PARTITIONS

Ces trois livrets de partitions pour piano, chant et guitare sont publiés par les éditions Raoul Breton.

Le volume 3 : *Les Lettres Rouges*

Du coq à l'âme
Maudite prière
J'veux pas d'chien
J'veux bien t'aimer
J'aime la pêche
La centenaire
Macédoine
Donnez-lui la passion
La cassette vidéo
Un homme de 50 ans
Le 29 Août 2000 au Théâtre Saint-Denis
Va rejoindre ta femme
L'enfant aux cheveux gris
Gros colons
Les deux hommes

Bandes de dégonflés
Bandes de dégonflantes
Ma plus belle déception

Le volume 2 : *Les souliers verts*

Accrocher mon cœur
A l'heure qu'il est
Chaque fois que le train passe
Chéri tu ronfles
Comme si tu étais moi
Décevoir
Drôle de mine
Je voudrais te prendre
La louve
Ma chouette
La marmaille
M'exaucerais-tu quand même ?
Paul-Émile a des fleurs
Pourquoi tu restes ?
Les souliers verts

Le volume 1 : *Du coq à l'âme*

Ailleurs
Alphonse
Au nom des frustrées
La cassette vidéo
C'est comme ça
Ceux que l'on met au monde
Crétin
Des pieds et des mains
Époustouflante
Gronde
L'incompétence
J'ai battu ma fille
Je suis grande

Les mains vides
Les maudits français
Mon nom
La place au sous-sol
Le plus fort c'est mon père
Un truc de passage
La visite